"Je croyais m'allonger à côté de ma sœur!"

Lang noua tranquillement ses mains sous la nuque et se rejeta en arrière sur son oreiller, parfaitement à l'aise, le regard moqueur. "J'ai eu l'impression pourtant que vous me preniez pour un certain Julian!"

Une expression horrifiée passa sur le visage de Nicole. "Vous voulez dire que …que je n'ai pas rêvé…! Et, comme tous les hommes, vous avez profité de l'occasion!"

"Pas du tout, mon petit," répliqua Lang sur un ton ironique. "C'est vous qui ne parveniez pas à dormir, me semble-t-il. Si je ne vous avais pas aidée à trouver le sommeil, vous auriez passé une bien mauvaise nuit et vous m'auriez gâché la mienne!"

Son petit sourire, volontairement chargé d'allusions au comportement de Nicole durant la nuit, plongeait la jeune fille dans une rage folle.

Harlequin Romantique

la grande aventure de l'amour

Un monde passionné
où règnent amour et aventure,
des personnages dont les sentiments
demeureront inoubliables.

Rencontre au fil de l'eau

par

KERRY ALLYNE

Harlequin Romantique

PARIS • MONTREAL • NEW YORK • TORONTO

Publié en avril 1982

ISBN 0-373-41107-3

Dépôt légal 2e trimestre 1982
Bibliothèque nationale du Québec et Bibliothèque nationale
du Canada.

Imprimé au Canada—Printed in Canada

1

Le chauffeur de taxi, personne corpulente d'une cinquantaine d'années, observait de temps en temps sa cliente dans le rétroviseur. Pourquoi cette jeune fille semblait-elle si malheureuse? A cause d'un homme, très certainement, jugea-t-il en quittant le boulevard pour s'engager dans une petite rue. Père de trois filles qui avaient à peu près le même âge que sa passagère, il devinait aisément ce que cachaient ses yeux perdus dans le vague, ses lèvres pincées et la ride qui barrait son front lisse. Qui avait osé faire souffrir une créature aussi charmante? Elle n'était pas d'une beauté exceptionnelle, mais son joli visage en forme de cœur ne pouvait laisser insensible.

Poursuivant son examen, le chauffeur nota que sa cliente était vêtue d'une robe longue en mousseline brillante. Elle avait été invitée à une réception, en conclut-il. Appelé dans un quartier élégant de la ville, l'homme avait été surpris quand il avait vu sortir une jeune fille seule de la grande maison blanche devant laquelle il s'était arrêté. En la voyant courir vers la voiture avec un petit fourre-tout, il avait déjà eu le pressentiment qu'elle s'enfuyait à cause d'un chagrin d'amour. Il éprouva une certaine compassion pour elle. Ce samedi soir ne lui avait pas porté bonheur.

Suivant les indications qu'elle lui donna d'une voix

tremblante, il se gara quelques minutes plus tard devant un groupe d'immeubles d'apparence modeste. Elle fouilla un instant dans son sac pour trouver de l'argent et régla le prix de la course.

— C'est inutile, je vous remercie, murmura-t-elle avec un pâle sourire quand le chauffeur lui proposa de monter le fourre-tout jusqu'à la porte de son appartement.

Elle accompagna ses paroles d'un petit geste de la main, puis sortit du taxi et se dirigea rapidement vers le seul immeuble, où brillait une lumière.

Avec un imperceptible haussement d'épaules, le brave homme se résigna à abandonner la jeune fille à son sort, et le véhicule redémarra. Il pensa encore à elle en s'éloignant. Son petit ami lui téléphonerait sûrement dès le lendemain matin et tout s'arrangerait, supposa-t-il. Il le souhaitait de tout cœur à sa touchante passagère.

Nicole Lockwood, quant à elle, savait que les choses ne se passeraient pas ainsi. Tandis qu'elle gravissait les deux étages qui menaient à l'appartement où elle vivait avec son père et sa sœur aînée, des larmes longtemps retenues perlèrent au bord de ses paupières. Depuis un an, elle sortait avec Julian Schafer. Leurs deux familles et tous leurs amis étaient persuadés qu'ils se marieraient. Nicole elle-même n'avait jamais douté d'épouser Julian dès qu'il aurait réalisé ses ambitions professionnelles. Le jeune homme travaillait pour la société *Rothwell et Smedley,* un cabinet d'avocats très réputé de Sydney. Personne n'aurait pu être plus fier et plus heureux que Nicole la veille, lorsque Julian lui avait téléphoné pour lui annoncer qu'il venait enfin de recevoir la promotion tant désirée au sein de cette société. Il l'avait en même temps invitée à la réception que ses parents donnaient pour fêter ce grand événement.

Rien dans ses paroles alors, ni pendant le trajet,

quand il était venu comme d'habitude chercher Nicole, n'avait permis à celle-ci de prévoir l'horrible déception qui l'attendait. Il n'avait rien dit en voyant son fourre-tout. Nicole emportait toujours des affaires pour dormir chez les Schafer lorsqu'ils donnaient une soirée. Ainsi, elle épargnait à Julian la peine d'effectuer un long chemin en pleine nuit pour la raccompagner. Non, le lâche n'avait rien dit. C'était Diana Rothwell en personne, la fille du grand patron de la société, une superbe blonde à la silhouette gracieuse et élancée, qui avait ouvert les yeux à Nicole. La malheureuse avait brutalement découvert jusqu'où l'ambition poussait Julian. Durant cette dernière année, il n'avait cessé de lui répéter combien il l'aimait... mais il allait épouser Diana. De toute évidence, il ne s'était pas contenté de fournir un travail remarquable pour obtenir sa brillante promotion. Il s'était aussi servi de son charme.

Nicole était vraiment tombée des nues. Au début de la soirée, elle n'avait éprouvé qu'une légère impatience tandis que l'autre jeune fille accaparait Julian. Puis elle avait surpris des bribes de conversation. La plupart des invités parlaient du futur mariage de Julian avec Diana comme d'une chose absolument certaine. Le sang de Nicole n'avait fait qu'un tour. Profitant des rares instants où Diana s'était éloignée de Julian pour bavarder avec des amis, elle avait provoqué une explication. Les joues rouges de colère et d'indignation, elle avait lancé au jeune homme :

— Etant donné tout le temps que vous consacrez à Diana, je ne suis pas étonnée de la réaction des gens. Tout le monde pense que vous allez l'épouser.

Elle avait éclaté d'un rire faussement léger en espérant recevoir un démenti.

— Elle est la fille de votre patron, je le sais. Mais êtes-vous vraiment obligé de danser avec elle toute la soirée ? avait-elle ajouté sur le ton de la plaisanterie.

Au lieu de se défendre, Julian avait baissé la tête, n'osant pas regarder Nicole dans les yeux.

— Je suis désolé, mais... mais vu les circonstances, je... dois lui tenir compagnie.

— Cela fait-il partie des attributions du nouvel associé de M. Rothwell ? avait-elle demandé sur un ton ironique.

— Non, je...

Julian avait toussé pour s'éclaircir la voix, et son visage s'était empourpré d'une manière très éloquente.

— Non, il faut que je vous mette au courant de mes... intentions. J'ai demandé à Diana de devenir ma... ma femme. J'allais vous en parler et...

— *Votre femme !* s'était exclamé Nicole, complètement abasourdie par cette nouvelle. Mais comment avez-vous pu lui... lui... alors que vous et moi... ?

— Nous n'avions rien décidé tous les deux, Nicky, n'est-ce pas ? s'était-il empressé de glisser.

Maladroitement, il avait cherché des excuses à sa conduite impardonnable !

— Nous n'avions pas pris d'engagement l'un envers l'autre. Nous n'avons jamais discuté sérieusement de notre avenir, reconnaissez-le !

Nicole était restée sans voix. Elle se souvenait d'avoir secoué la tête avec incrédulité. Ce n'était pas possible ! En une seconde, la vie avait perdu tout sens pour elle. Elle était trahie, bafouée, trompée ! Julian avait fait preuve d'une mauvaise foi inqualifiable en prétendant qu'ils n'étaient pas engagés l'un envers l'autre. Et non content de se montrer si malhonnête, il avait encore trouvé l'audace de rompre en public d'une manière incroyablement cavalière.

— Je vous répète que j'allais vous parler, je...

La dignité venant au secours de Nicole, elle l'avait interrompu avec fermeté, sans lui montrer à quel point elle était blessée et humiliée :

— Pourquoi avez-vous tant attendu ? Pourquoi me mettez-vous si brutalement devant le fait accompli ?

— Parce que je ne vous ai pas vue depuis que j'ai pris ma décision, et je n'ai pas voulu vous l'annoncer au téléphone.

— Estimez-vous que je viens de l'apprendre dans de meilleures circonstances ? s'était-elle écriée.

Son visage avait alors exprimé un profond mépris pour l'homme qu'elle avait jusque-là tant aimé.

— J'ai au moins la possibilité d'essayer de m'expliquer. Je voudrais vous faire comprendre...

Elle l'avait interrompu de nouveau :

— Vous auriez pu me parler quand vous êtes venu me chercher ! Aviez-vous peur que j'exige des preuves, que je ne vous croie pas sur parole ? Fallait-il que vous me conduisiez jusqu'ici ?

Ses grands yeux bleus s'étaient soudain emplis de larmes.

— Vous êtes-vous imaginé que je passerais la nuit chez vous comme d'habitude après avoir découvert que vous allez épouser Diana ? Mon Dieu, Julian, quel homme êtes-vous donc ? Je ne vous aurais jamais cru capable d'une telle conduite !

— Ecoutez, je suis vraiment désolé, je n'avais pas prévu que les événements prendraient cette tournure, avait-il déclaré, visiblement à court d'arguments. Je pensais que...

— Vous feriez bien de penser que vous êtes un lâche ! Vous n'avez pas eu le courage de me dire la vérité à temps. Vous avez toujours repoussé le moment de me parler, et vous ne le faites maintenant que contraint et forcé !

— Non, comment pouvez-vous me juger aussi mal ?

— Comment ?

Eclatant d'un rire amer, elle n'avait même pas daigné lui répondre. Julian s'était ensuite perdu dans des explications peu convaincantes auxquelles Nicole n'avait pas accordé beaucoup d'attention. Elle n'avait plus songé qu'à s'enfuir, à disparaître loin de tous ces gens. Julian l'avait abandonnée pour une autre, de la façon la plus odieuse qu'elle pouvait concevoir. Son comportement était au-dessous de tout. Nicole avait dû regarder les faits en face, aussi douloureux que ce fût pour elle. Dans sa situation, la seule solution avait été de montrer le moins possible son chagrin et sa consternation.

En arrivant sur le palier de son appartement, elle s'essuya les yeux et, avant d'introduire la clé dans la serrure, elle jeta un coup d'œil à sa petite montre en or. Par chance, il était plus de minuit, et elle poussa un soupir de soulagement. Son père et sa sœur dormaient sûrement, et elle n'aurait pas à subir une avalanche de questions. Cela lui laissait un bref répit. Au matin, hélas, il lui faudrait raconter pourquoi elle n'avait pas passé comme d'habitude la nuit chez les Schafer. Elle espéra retrouver un peu de sérénité d'ici là.

Refermant tout doucement la porte d'entrée derrière elle, elle se faufila en silence dans le couloir. L'appartement n'était qu'un deux pièces, et le père de Nicole dormait dans le salon sur une banquette convertible, tandis qu'elle partageait l'unique chambre avec sa sœur Cynthia. Ils avaient emménagé dans cet appartement un mois plus tôt, et cet arrangement assez pénible n'était heureusement pas fait pour durer. Cynthia allait se marier dans huit jours, et une semaine plus tard, M. Lockwood devait quitter Sydney pour débuter dans un nouvel emploi.

Il était né à la campagne et y avait vécu jusqu'à la mort de sa femme. Nicole avait six ans et Cynthia, dix, lorsque le triste événement s'était produit. Bryce Lockwood s'était alors décidé à venir habiter en ville pour se rapprocher de sa belle-mère. Il avait en effet souhaité une présence féminine auprès de ses enfants. Pour Nicole et Cynthia, le passage de la campagne à la ville n'avait posé aucun problème. Pour Bryce Lockwood au contraire, il avait représenté un immense sacrifice. Il avait volontairement consenti à se priver du genre d'existence qu'il aimait dans l'intérêt de ses filles. Bryce était fait pour vivre dans la nature, dans les grands espaces, et depuis que ses enfants avaient atteint l'âge adulte, il avait songé à retourner là où il se sentait bien.

Cynthia et Nicole comprenaient parfaitement le désir de leur père. Elles l'avaient par conséquent vivement encouragé à répondre à une annonce parue dans un journal. On demandait un intendant pour une vaste propriété au nord-ouest de l'Australie. Bryce avait jugé nulles ses chances de succès après toutes ces années passées en ville. Il s'était rendu sans conviction aux entretiens fixés par la société chargée du recrutement. La surprise avait été d'autant plus agréable lorsqu'il avait appris que sa candidature était retenue.

Tout en songeant aux événements de ces derniers jours, et surtout de ces dernières heures, Nicole se déshabilla dans la minuscule salle de bains, fit une toilette rapide et enfila la courte chemise de nuit à carreaux rouges et blancs qu'elle avait emportée chez les Schafer. Il ne lui restait plus qu'à se glisser dans la chambre et elle pria pour ne pas réveiller Cynthia. Avant d'entrer dans la pièce, elle s'arrêta devant la grande glace du couloir et se considéra avec désespoir.

Comment pouvait-elle rivaliser avec Diana Rothwell, la belle blonde au corps svelte, la fille du patron de *Rothwell et Smedley* ? La situation de son père n'était de loin pas aussi prestigieuse, et Nicole doutait soudain en outre de son propre charme. Ses cheveux lisses et châtains lui parurent bien communs. Elle trouva l'expression de ses yeux bleus trop enfantine. Les taches de rousseur qui parsemaient son nez la contrarièrent, et elle se désola du contour, selon elle insipide, de ses lèvres. Elle songea avec jalousie au physique raffiné de

Diana. Certes, Nicole pouvait se vanter d'avoir un corps aux proportions parfaites, mais c'était insuffisant. Celle qui lui avait volé Julian était plus élancée qu'elle et mille fois plus élégante.

Sa sœur Cynthia aurait pu en revanche soutenir la comparaison avec sa belle rivale. Sa haute silhouette fine, les traits réguliers de son visage, sa magnifique chevelure auburn et ses grands yeux sombres et très expressifs lui avaient d'ailleurs permis de se lancer dans une carrière de mannequin. Depuis six ans, les photographes se la disputaient, et elle ne craignait la concurrence d'aucune femme, même de la plus éblouissante des blondes ! Ce n'était malheureusement pas le cas de la petite Nicky que beaucoup de gens considéraient encore comme une enfant. Ils la prenaient si peu au sérieux qu'ils ne se décidaient pas à l'appeler Nicole. Quand la traiterait-on comme une vraie femme ? Peut-être n'y avait-il rien d'étonnant à ce que Julian lui eût préféré Diana ?

Elle mordit ses lèvres tremblantes. Traîtreusement, les larmes emplirent de nouveau ses yeux. Elle éteignit la lumière du couloir avant d'ouvrir la porte de la chambre, puis elle y pénétra sur la pointe des pieds. Oh, comme elle maudissait l'ambition qui lui avait enlevé Julian ! Pourquoi ne s'était-il pas contenté de l'emploi qu'il avait occupé jusqu'à présent ? Elle l'aurait aimé tout autant s'il était resté à un poste moins important. Hier encore, elle avait été si heureuse et aujourd'hui, elle touchait le fond du désespoir. Une douleur lancinante lui lacérait la poitrine. Qu'allait-elle devenir ? Effrayée, elle vit défiler dans son imagination les jours vides de son avenir. Pourquoi, pourquoi le destin lui avait-il joué un aussi mauvais tour ?

Les volets fermés plongeaient la chambre dans une obscurité totale. Seul le bruit régulier d'une respiration trahissait la présence de Cynthia. Nicole se glissa tout doucement dans le lit en prenant garde de bien rester sur son côté. Lorsqu'elle sentit bouger sa sœur, elle s'affola. Heureusement, celle-ci s'immobilisa presque aussitôt, et le souffle rythmé de sa respiration reprit. Nicole laissa·échapper un soupir de soulagement. Elle ferma les yeux et serra très fort les paupières dans l'espoir de chasser les visions qui la hantaient. Non, elle ne devait penser ni à Julian ni à Diana. Elle devait faire le vide dans son esprit. N'y parvenant pas, elle finit par s'endormir seulement lorsque la fatigue eut raison d'elle. Dans le rêve qu'elle fit alors, Julian ne l'abandonnait plus. Elle pleurait, et il revenait vers elle pour la prendre dans ses bras. Elle se blottissait contre lui, cherchant le bien-être et la sécurité sur sa poitrine, offrant ses lèvres à ses baisers. Elle était de nouveau heureuse.

Au matin, elle quitta à regret ce monde enchanté où Julian l'aimait encore. Elle ne voulait pas se réveiller. Ses yeux refusaient de s'ouvrir, son corps s'étirait langoureusement. Dans son demi-sommeil, elle sentait encore les bras de Julian autour de sa taille, et son épaule sous sa joue. Pourquoi ne pouvait-elle pas rester éternellement ainsi ? L'illusion était vraiment tenace. Si elle n'avait pas su qu'elle rêvait, elle aurait juré qu'elle se trouvait dans les bras de Julian. Elle avait réellement l'impression de toucher sa peau chaude du bout des doigts. Oui, elle la touchait... Mais !... Elle ne distribuait pas ses caresses dans le vide ! Elle se rendit soudain compte de la présence d'un corps ferme auprès du sien, un corps plus musclé que celui de Julian !

Comme si elle avait reçu une douche glacée, elle se réveilla tout à fait en l'espace d'une seconde et voulut se redresser dans un mouvement de panique. Une grande main étouffa brutalement le cri qui allait sortir de sa bouche. Ses yeux refusaient de croire ce qu'ils voyaient. Nicole était couchée à côté d'un homme, un homme à la carrure puissante... qui lui était totalement inconnu !

— Avant d'appeler au secours, permettez-moi de me présenter, déclara-t-il en lui décochant un sourire amusé qui révéla des dents d'une blancheur éclatante dans son visage bronzé. Je suis Lang Jamieson, le nouveau patron de votre père... Vous êtes Nicole, je suppose, la plus jeune des filles de Bryce ? Comme votre père croyait que ni vous ni votre sœur ne dormiraient ici, il m'a gentiment offert cette chambre hier soir pour m'éviter de retourner à mon hôtel de l'autre côté de la ville. Comprenez-vous maintenant la raison de ma présence ?

Nicole hocha la tête. Elle était encore stupéfaite, mais ces explications l'avaient rassurée. Un vif mécontentement l'incita toutefois à se débattre furieusement pour repousser la main de son interlocuteur. Puis elle s'écarta vivement de cet homme dont le contact avait réussi à la troubler jusque dans son sommeil. Confuse à l'idée d'être vêtue d'une chemise de nuit transparente, elle remonta le drap sous son menton.

— Monsieur Jamieson, lança-t-elle sur un ton offensé, vous auriez pu avoir la décence de me prévenir quand je me suis couchée.

Elle ne put s'empêcher de frémir au souvenir de ce qu'elle avait éprouvé en se serrant contre lui.

— Vous pouviez bien vous douter, poursuivit-elle d'un air digne, que je croyais m'allonger à côté de ma sœur.

L'homme noua tranquillement ses mains sous sa nuque et se rejeta en arrière sur son oreiller. Il semblait parfaitement à l'aise et il osait même poser sur Nicole un regard moqueur.

— Vraiment ? Pardonnez-moi si je me trompe, mais j'ai eu l'impression que vous ne me preniez pas pour Cynthia... mais pour un certain Julian !

Une expression horrifiée passa sur le visage de la jeune fille tandis qu'elle comprenait enfin :

14

— Vous voulez dire que... que je n'ai pas rêvé ! C'était vous qui... c'était votre... !

Incapable d'arriver au bout de sa phrase, elle toisa son interlocuteur avec mépris.

— Comme tous les hommes, vous vous êtes empressé de profiter de l'occasion, bien sûr !

— Pas du tout, mon petit, répliqua-t-il sur un ton ironique. C'est vous qui ne parveniez pas à dormir, me semble-t-il. Si je ne vous avais pas aidée à trouver le sommeil, vous auriez passé une bien mauvaise nuit et vous m'auriez gâché la mienne !

— Peut-être dois-je vous remercier ! railla-t-elle. Apprenez que dans ces circonstances, j'aurais de loin préféré ne pas fermer l'œil une seconde !

— J'avoue y avoir songé, mais vous vous êtes montrée vraiment trop désireuse de me prendre pour un autre. Je ne suis pas homme à décevoir les femmes, vous savez !

Son petit sourire, volontairement chargé d'allusions au comportement de Nicole durant la nuit, plongea la jeune fille dans une rage folle.

— Espèce de... de vaniteux personnage, vous imaginez-vous pouvoir remplacer Julian ! rétorqua-t-elle d'une voix déformée par la colère.

Elle était haletante et le drap se soulevait irrégulièrement à l'endroit de sa poitrine.

— Jamais il ne recourrait à des moyens aussi vils pour garder une femme dans son lit ! ajouta-t-elle.

Une main furieuse s'enfonça aussitôt dans sa chevelure et lui tira la tête en arrière. Avant qu'elle ait eu le temps de comprendre, elle était de nouveau allongée complètement à plat dans le lit, et un visage menaçant se penchait sur le sien.

— Petite effrontée, gronda l'homme, avant de proférer des accusations aussi stupides à mon égard, vous feriez bien de vous souvenir de l'état dans lequel vous vous êtes couchée ! Vous aviez besoin de tendresse et de réconfort, je vous les ai donnés, un point c'est tout ! Croyez-moi, je n'ai jamais rêvé de dormir aux côtés d'une femme qui pleure ! Il y a plus séduisant !

Il relâcha enfin Nicole, et elle trouva la force de lancer :

— Alors sortez de mon lit !

L'homme inclina sa tête brune en signe d'assentiment :

— Avec plaisir.

Tandis qu'il se levait, la jeune fille lui tourna le dos. Un irrépressible réflexe de politesse la poussa à lui indiquer, malgré elle, d'un ton sec :

— Vous trouverez le peignoir en éponge de mon père dans l'armoire. Mettez-le si vous en avez besoin.

— Merci.

L'homme avait répondu sur un ton aussi peu aimable que le sien. Quelques instants plus tard, il se dirigeait vers la porte, vêtu comme elle le lui avait offert de la sortie de bain bleu marine. La main sur la poignée, il se retourna vers Nicole pour lui demander d'une manière ironique :

— Dois-je dire à votre père que nous avons dormi ensemble où préférez-vous lui annoncer vous-même la nouvelle ?

Nicole n'avait plus envie de rivaliser d'ironie avec cet homme. Elle songeait à Julian et, tandis que la souffrance qui lui avait laissé du répit durant la nuit renaissait en elle, elle fixa son interlocuteur avec une lassitude mêlée d'amertume :

— Faites ce que bon vous semble, monsieur Jamieson. Vous êtes l'homme, c'est à vous de décider !

Il eut l'audace d'éclater de rire. C'était un rire grave et mélodieux, agréable à entendre, Nicole dut le reconnaître.

— Courage, Nicky, vous vous en sortirez ! Les chagrins d'amour ne durent pas toute la vie, affirma-t-il.

— Oh, allez au diable! rétorqua la jeune fille, exaspérée par ce manque de tact.

Elle s'enfouit sous ses draps, ne montrant plus à son interlocuteur que le haut de sa tête blonde.

— Croyez-vous que je sois d'humeur à écouter des leçons de morale? marmonna-t-elle.

— Non, d'ailleurs il vous faudrait un remède plus efficace pour vous empêcher de vous prendre en pitié, répondit-il sans se laisser démonter. Si vous ne vous ressaisissez pas, votre père sera bien soulagé de partir loin de vous dans quinze jours.

Nicole se redressa une fois de plus dans l'intention de remettre cet odieux personnage à sa place, mais il avait déjà quitté la chambre. Elle retomba sur son oreiller avec un soupir. Julian l'avait abandonnée. Cela ne lui donnait-il pas le droit de se prendre un peu en pitié? Elle se montrait d'ordinaire courageuse et elle ne faisait pas de manières. Mais cette fois, elle estimait avoir de bonnes raisons de pleurer et de se lamenter. L'homme qu'elle aimait allait épouser une autre femme. Ce fait constituait en lui-même une cruelle épreuve. Et en outre, Julian l'avait trahie de la façon la plus lâche et la plus honteuse qui fût.

Quant à son père, elle espérait qu'il comprendrait sa peine, qu'il se montrerait plus humain et patient que ce M. Lang Jamieson. D'après ce qu'elle avait compris, il l'avait prise dans ses bras dans le seul but de lui permettre de s'endormir... et pour pouvoir dormir lui aussi par la même occasion. Quel monstre sans cœur! Elle aurait payé cher pour le voir un jour souffrir comme elle souffrait. Mais elle préférait renoncer à ce plaisir et ne plus jamais le rencontrer. Voilà un homme au moins qui ne lui manquerait pas. Son absence ne risquait pas de lui ôter le sommeil. Et pourtant, admit-elle à contrecœur, un être comme lui devait remporter beaucoup de succès auprès des femmes. Le revoyant en pensée, Nicole reconnut qu'il avait de l'allure et du charme. C'était un bel homme, bien bâti et viril. Elle lui donna une trentaine d'années et s'étonna que le patron de son père fût si jeune. Tandis qu'elle réfléchissait, son imagination lui représentait les cheveux noirs, légèrement bouclés, les yeux bruns pailletés d'or. Le nez droit et le menton carré, indices de dynamisme et de volonté, composaient un visage aux traits fermes et nets. La bouche bien dessinée savait sourire de manière à faire battre un cœur féminin, Nicole venait d'en faire l'expérience.

La jeune fille gémit et ferma les yeux. En analysant le physique de cet homme, elle n'avait cessé de le comparer à celui de Julian. On ne pouvait pas imaginer deux êtres plus différents. La carrure mâle et la peau hâlée de Lang Jamieson constituaient l'opposé frappant de Julian, avec sa silhouette tout en finesse, ses yeux bleus et ses cheveux blonds.

Lorsque Nicole jugea que l'invité de son père avait disposé d'assez de temps pour faire sa toilette, elle se leva et se risqua hors de la chambre. Son père serait étonné en la voyant. Elle espéra pouvoir lui expliquer les raisons de son retour prématuré après le départ de Lang Jamieson. Elle n'avait pas la moindre intention de s'humilier encore davantage en racontant devant lui en détail la triste histoire de la trahison de Julian.

Chez les Lockwood, le petit déjeuner du dimanche était laissé à l'initiative de chacun. Bryce Lockwood et ses filles mangeaient ce qui leur plaisait à l'heure de leur choix. Mais en l'honneur de son invité, Bryce avait ce jour-là mis la table. Il vit passer Nicole devant la porte de la cuisine et l'interpella :

— Lang vient de me dire que vous avez dormi ensemble sans le savoir, fit-il, les sourcils froncés. N'avais-tu donc pas allumé ta lampe de chevet avant de te coucher ?

Nicole rejeta ses cheveux en arrière et haussa les épaules. Un sourire forcé se dessina sur ses lèvres.

— Si je l'avais allumée, nous ne serions pas en train de discuter de ce sujet ! répliqua-t-elle en essayant de faire preuve d'humour. Mais il était très tard quand je suis rentrée et je ne voulais pas réveiller Cynthia. Comment aurais-je pu deviner que la personne qui dormait dans la chambre n'était pas ma sœur ?

La curiosité ranima un peu son visage :

— A propos, où est-elle ?

— Clark lui a téléphoné juste après ton départ, répondit Bryce Lockwood. On lui a fixé à la dernière minute une séance de prises de vues à la mer, et il a proposé à ta sœur de l'accompagner pour profiter de la plage pendant le week-end.

— C'est une bonne idée, fit Nicole.

Depuis trois ans, Clark Rutherford était le photographe attitré de Cynthia. Et, le samedi suivant, il allait aussi devenir son mari. Sans laisser à son père le temps d'en revenir à elle, Nicole s'échappa habilement et courut dans la salle de bains. Dès que le verrou fut tiré, elle poussa un soupir de soulagement. Elle avait encore réussi à gagner un peu de temps.

Ce fut toutefois son dernier répit. Lorsqu'elle ressortit après avoir pris une douche et enfilé une légère robe rose, son père lui posa la question fatidique :

— Pourquoi es-tu rentrée la nuit dernière, Nicky ? Je croyais que tu devais rester chez les Schafer comme d'habitude.

— J'en avais en effet l'intention, répondit-elle, terriblement mal à l'aise en s'installant pour le petit déjeuner.

Elle garda les yeux fixés sur son père pour ne pas rencontrer le regard de Lang Jamieson qui était assis en face d'elle à la table et l'épiait avec attention.

— Il y a eu un… un changement de programme et je… suis rentrée.

— Julian vient te voir aujourd'hui, je suppose ?

Dans son embarras, Nicole se leva pour chercher

dans le placard un bol dont elle n'avait nullement besoin.

— Non, il ne viendra pas aujourd'hui, fit-elle d'une voix hésitante.

« Il ne viendra plus jamais », lui cria une voix cruelle dans son for intérieur.

— Pourquoi, ajouta-t-elle, avais-tu besoin de le voir ?

— J'aurais voulu lui parler du contrat de location de l'appartement, expliqua Bryce Lockwood. Tu sais que je ne suis pas d'accord avec certaines clauses, en particulier celle qui concerne les délais dans lesquels le propriétaire peut te demander de quitter les lieux. Ta sœur se marie et moi, je pars de mon côté. Je ne veux pas que le propriétaire puisse te mettre à la porte en t'avertissant seulement quelques jours à l'avance. Il n'est pas si facile de trouver rapidement un logement décent à notre époque.

Nicole entama son bacon et sourit d'un air rassurant à son père.

— Voyons, papa, j'ai vingt et un ans, tu n'as pas besoin de t'inquiéter pour moi. De toute façon, étant donné mes moyens, nous ne pouvons pas nous permettre d'ennuyer le propriétaire. Je n'ai pas de quoi me payer un appartement où les délais sont plus longs.

— Vous croyez dissiper les craintes de votre père avec de telles paroles ! glissa Lang Jamieson sur un ton de reproche.

Nicole le foudroya du regard car il s'était mêlé d'une affaire qui ne le concernait pas. Bryce lui fut au contraire reconnaissant d'avoir pris son parti.

— Si je ne savais pas que Julian et toi, vous allez bientôt annoncer vos fiançailles, je te demanderais de tout abandonner et de partir avec moi.

— Et que ferais-je à la campagne ? répliqua-t-elle.

Elle éclata de rire comme si elle trouvait l'idée très comique.

— Un professeur de natation comme moi ne serait pas tout à fait à sa place au milieu des champs ! ajouta-t-elle en tentant de diriger son père sur un sujet moins personnel.

— Il y a des villes non loin de chez moi, déclara Lang Jamieson avec un empressement lourd d'ironie. D'ailleurs, je disais justement à votre père hier soir qu'on vient de construire une piscine très moderne à Nullegai et on cherche une personne possédant vos qualifications.

— Il sera très facile d'en trouver une, les gens qui ont le même diplôme que moi courent les rues, répondit-elle sur un ton suave, très vite pour couper court à une éventuelle réaction de la part de son père.

Hélas, Lang Jamieson prononça les mots qu'elle craignait :

— Ces gens dont vous parlez n'ont pas une aussi bonne raison que vous de quitter Sydney.

Il s'interrompit et fit semblant de se rappeler quelque chose :

— Oh, mais j'oubliais ! Vous avez au contraire une excellente raison pour rester dans cette ville. D'après ce que m'a raconté votre père, j'ai compris que vous avez l'intention de suivre votre sœur à l'église d'ici... d'ici combien de temps ?

Il avait posé cette question sur un ton si faussement ingénu que Nicole lui aurait volontiers jeté ses œufs brouillés à la figure.

Le maudit indiscret ! Il savait bien que tous ses projets étaient réduits à néant, ou il s'en doutait du moins ! Elle baissa la tête, et ses cheveux tombèrent sur son visage, la protégeant comme un rideau.

— C'est à l'homme de décider ! lança-t-elle avec raideur, répétant les paroles ironiques qu'elle avait déjà adressées à Lang Jamieson. Je suis sûre que vous êtes conscient de vos prérogatives masculines comme les autres, monsieur Jamieson !

— Que t'arrive-t-il, Nicky ? Je ne reconnais pas ma petite fille !

Bryce Lockwood passa un bras musclé autour de ses épaules et la serra contre lui.

— Qu'est-ce qui ne va pas, ma chérie ? T'es-tu disputée avec Julian hier soir ?

Comme Nicole aurait été heureuse s'il ne s'était produit qu'une simple querelle !

— Non, non, pas vraiment…, murmura-t-elle en évitant de croiser le regard de son père.

De traîtres larmes commencèrent cependant à couler sur ses joues.

— Mais tu pleures ! s'écria Bryce Lockwood.

— Elle a sûrement une poussière dans l'œil, affirma Lang Jamieson.

« Mais taisez-vous donc, maudit importun ! », cria intérieurement Nicole. Elle le fixa d'un air furibond qui lui intimait exactement le même ordre que cette phrase. Puis son père lui prit le visage entre ses mains avec une grande douceur et ses yeux sombres, si semblables à ceux de Cynthia, scrutèrent sa mine défaite.

— Fais confiance à ton père. Je peux sûrement t'aider quel que soit ton problème, proposa-t-il d'une voix tendre.

Nicole essuya ses yeux et ses joues et considéra son père avec une profonde affection. Le pauvre cher homme ! Depuis la mort de sa belle-mère, il s'était souvent trouvé désemparé. Il ne savait pas toujours comment réagir lorsque ses filles revenaient à la maison avec des chagrins ou des difficultés. Cette fois, Nicole était persuadée d'avance qu'il ne pouvait rien faire pour elle.

— Il n'y a pas grand-chose à dire, fit-elle avec un pitoyable sourire. Julian et moi avons… nous avons rompu, c'est tout.

— *C'est tout !*

Bryce Lockwood resta un instant le souffle coupé.

— Mais je croyais... Pourquoi? Tout semblait si bien aller quand il est venu te chercher hier soir!

— Eh oui, la vie nous réserve parfois des surprises! lança-t-elle sur le ton le plus détaché possible.

Elle haussa négligemment les épaules et continua à manger comme si la conversation ne la troublait nullement. Son père attendait des explications plus conséquentes. Faire tant de mystère était stupide, elle s'en rendit soudain compte. Lang Jamieson savait déjà, ou avait du moins deviné, le mauvais tour que le destin lui avait joué. Elle respira à fond, puis déclara d'un trait :

— Julian va épouser Diana Rothwell.

— Rothwell! S'agit-il des Rothwell de la société *Rothwell et Smedley?*

— Exactement.

— Ah, je comprends! C'est ainsi qu'il a obtenu si rapidement sa brillante promotion! Oh, l'hypocrite, le menteur, le malhonnête!

L'expression de Bryce Lockwood s'était assombrie.

— Pourquoi ne t'a-t-il pas avertie quand il a téléphoné cette semaine, ou avant de t'emmener chez lui?

— Il ne savait pas comment s'y prendre pour m'annoncer la nouvelle, expliqua Nicole en remettant des tranches de pain à griller.

Bryce Lockwood eut un mouvement de colère si brutal que sa chaise grinça sur le carrelage de la cuisine.

— Alors pendant qu'il sortait avec toi, marmonna-t-il sur un ton dégoûté et méprisant, il faisait la cour à la fille de son patron pour réaliser plus vite ses ambitions! Je lui tordrais volontiers le cou!

— Dans ces circonstances, je vois au moins une compensation. Vos inquiétudes n'ont plus de raison d'être, Bryce, déclara Lang Jamieson.

Deux regards intrigués se posèrent sur lui.

— Que voulez-vous dire? questionna Bryce Lockwood.

— Eh bien, vous venez d'exprimer vos craintes à l'idée de laisser Nicole seule à Sydney. Elle n'a plus besoin d'y rester.

Avec un sourire, il leur exposa sa brillante idée :

— Elle peut partir avec vous, d'autant plus qu'un emploi sur mesure l'attend à Nullegai.

Nicole fulminait intérieurement. Elle comprenait à présent pourquoi Lang Jamieson l'avait mise dans l'obligation de parler devant lui de sa rupture avec Julian. Non, il n'avait pas pitié d'elle, et il ne cherchait pas à rendre service à son père ! On avait besoin d'un maître-nageur à Nullegai, et Nicole faisait tout bonnement l'affaire. Lang Jamieson ne manquait pas d'habileté pour arriver là où il le désirait, mais c'était peine perdue. Nicole n'entrerait pas dans son jeu.

— Croyez bien, monsieur Jamieson, que j'apprécie à leur juste valeur vos généreux efforts pour organiser mon avenir. Je suis désolée de vous décevoir, fit-elle en laissant poindre l'ironie sous son amabilité, mais je n'ai pas la moindre intention de démissionner de l'excellent poste que j'occupe ici... et surtout pas pour aller m'enterrer dans votre petite ville de Nullegai !

Une lueur de colère et de mépris apparut dans les yeux de Lang Jamieson.

— Vous nourrissez sans doute un secret espoir de reconquérir votre Don Juan !

— Oh non, pas du tout, détrompez-vous !

Elle prit plaisir à lui annoncer avec dédain :

— A présent, je n'ai plus aucune illusion sur les hommes. J'ai compris. Qu'ils aillent raconter leurs mensonges à d'autres pauvres victimes, moi je ne serai plus jamais dupe.

Bryce Lockwood considéra sa fille d'un air navré :

— Ecoute, ma chérie, il ne faut pas que tu t'aigrisses à cause d'une expérience malheureuse.

Il lui donna une petite tape d'encouragement dans le dos et continua sur un ton persuasif :

— Tous les hommes ne sont pas comme Julian, et Lang vient d'avoir une bonne idée, tu sais ! Je ne parle pas seulement pour moi, mais aussi pour toi. Pour ton moral, un changement radical serait salutaire.

Nicole retira des toasts bien dorés de l'appareil.

— Ah, voir de nouveaux lieux et de nouvelles têtes ! railla-t-elle.

— Il pourrait vous arriver pire ! répliqua Lang Jamieson avec une ironie égale.

Elle releva le menton dans un geste de défi. Si cet homme s'obstinait à se mêler de ses affaires, elle n'allait pas tarder à le remettre à sa place !

— Nullegai n'est pas le centre du monde parce que vous y vivez ! rétorqua-t-elle vivement.

— Cela suffit, Nicole, je ne vois pas pourquoi tu te montres aussi désagréable envers notre invité.

Bryce Lockwood secoua la tête d'un air contrarié.

— Lang a tout à fait raison. Il pourrait t'arriver pire que de partir avec moi. D'ailleurs, j'ai toujours été hostile à l'idée que tu vives seule dans cet appartement. C'était ton intention, et je ne l'ai jamais approuvée.

— Mais à Nullegai, ne faudra-t-il pas aussi que je vive seule ? Cela revient au même... A moins que M. Jamieson pousse la générosité jusqu'à me proposer de m'installer avec toi chez lui ? lança Nicole, volontairement provocante.

— Je crois que vous trouveriez le trajet trop long pour le faire chaque jour. Mais vous pourrez séjourner chez moi aussi souvent que vous le désirerez. Le logement de votre père sera également le vôtre, vous êtes la bienvenue, affirma Lang Jamieson avec un sourire narquois.

— Je vous remercie... mais c'est non.

Nicole lui retourna un sourire analogue.

— Je posais cette question dans l'abstrait. Il n'est pas question que je quitte Sydney.

Bryce Lockwood se versa une seconde tasse de thé en poussant un soupir.

— Tu as tort de t'entêter, ma fille. Je trouve cette solution vraiment excellente. Nous pourrions te chercher un appartement convenable à Nullegai, et tu viendrais passer tes jours de congé avec moi.

Sans laisser à Nicole le temps de contredire son père, Lang Jamieson s'interposa une fois de plus :

— La question du logement ne poserait aucun problème. Les demoiselles Guthrie ne demanderaient pas mieux que d'avoir une locataire. Elles logent déjà le nouvel instituteur qui, d'après ce que l'on m'a dit, passe ses loisirs à la piscine. Nicole et lui feraient sûrement une bonne paire d'amis.

— Vous oubliez une chose, fit Nicole d'une voix aigre. Je n'irai pas à Nullegai !

— Alors je ne partirai pas non plus, annonça brutalement Bryce Lockwood.

Son visage tourné vers Lang Jamieson exprimait du regret et des excuses.

— Lorsque je me suis décidé à retourner vivre à la campagne, je pensais que vous n'aviez plus besoin de moi, Cynthia et toi, vous aviez toutes les deux des projets de mariage. Mais puisque les événements ne se déroulent pas comme prévu, je ne peux pas me permettre de te laisser seule ici.

Nicole se sentit soudain désemparée. Elle savait combien son père tenait à quitter la ville, elle savait combien il se réjouissait à la perspective de reprendre un travail qui lui plaisait.

— Tu ne peux pas renoncer à ton nouvel emploi à cause de moi, c'est... c'est ridicule ! Et si je ne me marie jamais ? Tu n'as tout de même pas l'intention de veiller sur moi jusqu'à l'âge de trente ans !

— Nous réexaminerons le problème à ce moment-là, s'il se pose encore, répliqua-t-il d'un air buté.

Nicole connaissait ce ton net et sec. Il indiquait que son père ne changerait plus d'avis.

— Tu ne peux pas abandonner M. Jamieson! fit-elle, tentant de le fléchir en faisant appel à son sens du devoir.

En réalité, elle ne se souciait absolument pas des difficultés dans lesquelles le revirement de son père risquait de plonger cet homme. Au contraire! Un être aussi arrogant et sûr de lui méritait bien une petite leçon de temps à autre!

— Evidemment, admit Bryce Lockwood, les sourcils froncés, c'est très ennuyeux, mais j'ai toujours fait passer ma famille avant le reste. Tu sais d'ailleurs que je me suis installé à Sydney dans ton intérêt et celui de ta sœur. Non, je ne reviendrai pas sur ma décision, à moins que toi, tu acceptes de partir avec moi. Tout dépend de toi maintenant.

S'agissait-il d'une forme de chantage? Non, rien n'était plus étranger à la mentalité de Bryce Lockwood. Il avait seulement présenté la situation en termes clairs à sa fille. Si elle n'avait pas envie de partir à Nullegai, il renonçait à son nouvel emploi et jamais il ne lui adresserait le moindre reproche. Il aimait ses filles — elles le lui rendaient d'ailleurs bien — et l'une d'elles ayant encore besoin de lui, il n'hésitait pas un instant à lui sacrifier ses projets.

Oui, le père de Nicole était ainsi, bon, généreux et dévoué. Jusqu'à présent, il avait fait tout ce qui était en son pouvoir pour le bonheur de ses filles et elles, qu'avaient-elles fait pour lui? Nicole ne se montrait-elle pas très égoïste et ingrate? Elle avait refusé de partir sans même prendre la peine d'envisager sérieusement cette possibilité. Elle n'avait pourtant plus de raison valable de rester à Sydney et, en changeant de cadre de vie, elle se remettrait plus facilement de la cruelle déception que lui avait infligée Julian. Alors pourquoi repoussait-elle si violemment la suggestion de son père ?

Au lieu de se demander « pourquoi », elle aurait mieux fait de dire : « à cause de qui ». Lorsque son regard se heurta à celui de Lang, les sentiments d'hostilité qu'elle avait éprouvés dès les premiers et surprenants instants de leur rencontre, affluèrent de nouveau en elle. Il émanait une si grande force et une si grande audace de cet homme, qu'elle se mettait d'instinct en position de défense par rapport à lui. Il ne s'agissait cependant pas d'un motif suffisant pour condamner son père à rester à Sydney.

— Bon, je viens avec toi, acquiesça-t-elle en se décidant tout d'un coup. La saison commence juste, on n'aura pas trop de mal à me remplacer à la piscine.

Bryce Lockwood posa sa grande main sur celle de sa fille.

— Vraiment, Nicole, tu es d'accord pour venir à Nullegai ?

— Oui, je suis d'accord, fit-elle et elle jeta à Lang Jamieson un regard noir. A condition qu'ils aient vraiment besoin de moi à la piscine, évidemment !

Lang répondit à son regard par un lent sourire provocant qui lui causa d'étranges frissons.

— Le poste est vacant, affirma-t-il. Quand souhaitez-vous commencer à travailler ? En même temps que votre père ?

Nicole s'efforça d'exprimer ses objections sur un ton aimable :

— Il faudrait d'abord que j'aie une entrevue avec le directeur de la piscine. Normalement, c'est ainsi que l'on procède.

— Dans ce cas précis, nous pouvons éviter toutes ces formalités. Le directeur vous attendra à la date de votre choix, je m'en porte garant.

Nicole esquissa une moue d'étonnement et d'ironie.

— Avez-vous tant d'influence sur lui, monsieur Jamieson ?

Il acquiesça d'un signe de tête sans daigner s'expliquer davantage. Il préféra la reprendre d'un air malicieux :

— Je vous propose de m'appeler Lang dorénavant. Même mes employés ne disent pas *Monsieur* Jamieson.

— Vous préférez sans doute qu'ils vous appellent « patron », n'est-ce pas ? répliqua-t-elle presque agressivement.

— Ils le font s'ils le désirent, mais je n'y tiens pas.

Le regard de Lang s'était durci, il contenait à présent un avertissement muet. Le négligeant, Nicole aurait aimé poursuivre cette petite guerre verbale. Son père l'en empêcha en prenant la parole :

— Les demoiselles dont vous avez parlé pourraient loger Nicole ? demanda-t-il à Lang.

— Oui, et avec elles, vous serez parfaitement tranquille. Votre fille tombera entre de bonnes mains, croyez-moi. A la soixantaine passée, Ida et Ivy Guthrie sont les femmes les plus dynamiques que vous pouvez imaginer. Elles adorent se dévouer pour leurs locataires. L'année dernière, elles hébergeaient deux employés de banque célibataires. Ils racontaient que les demoiselles les avaient tellement gâtés qu'ils étaient devenus très exigeants. Le jour où ils se marieront, ils leur faudra une femme aux petits soins pour eux.

— Leur conception du mariage se résume sans doute à un estomac bien rempli et des vêtements impeccablement lavés et repassés ! lança Nicole avec mépris.

— Je n'en sais rien, répondit Lang en la transperçant d'un regard froid et dur, mais je me demande si tous les hommes n'apprécient pas plus ces qualités qu'une langue de vipère !

Cette repartie sans indulgence atteignit son but. Nicole était vexée mais elle n'en laissa rien voir. Elle haussa au contraire les épaules avec dédain. D'ailleurs, elle n'avait pas perdu la partie. Elle ne s'était pas privée de montrer à Lang en quelle piètre estime elle les tenait, lui et ses pareils. Cela lui apprendrait à se mêler de ses affaires. Nicole n'était plus la naïve et confiante jeune fille dont les hommes pouvaient se moquer. Le coup porté par la trahison de Julian était rude mais utile. Désormais, elle était décidée à se défendre. Œil pour œil, dent pour dent. « Qu'ils aillent au diable, songea-t-elle, les Lang Jamieson, les Julian Schafer et tous les hommes de la terre ! »

2

Lang quitta l'appartement des Lockwood tout de suite après le petit déjeuner.

— Qu'est-il venu faire ici? demanda aussitôt Nicole à son père. Est-ce la curiosité qui l'a amené dans notre modeste logement?

— Non, il m'a rendu une visite de politesse. La politesse, connais-tu cette qualité? J'ai constaté à mon grand regret qu'elle t'a totalement manqué aujourd'hui. Comme il se trouvait à Sydney pour le week-end, Lang en a profité pour discuter avec moi de mon futur travail.

— Il voulait savoir si tu es vraiment l'homme qu'il lui faut pour son domaine chéri, je suppose!

— Si tu possédais une propriété aussi vaste et importante que la sienne, tu ne la confierais certainement pas à n'importe qui.

Nicole pinça ses jolies lèvres et l'admit de mauvais gré.

— Alors pourquoi te venges-tu de Julian sur un homme qui n'est absolument pas responsable de ton chagrin? D'ailleurs, n'oublie pas que Lang est mon patron. A ce titre, il a droit à un minimum de courtoisie. S'il n'était pas tellement compréhensif et large d'idées, ton comportement m'aurait sûrement nui auprès de lui.

— Pardonne-moi, papa, fit Nicole sur un ton sincèrement contrit.

Elle regrettait d'avoir contrarié son père. En même temps, elle était ravie de s'être montrée désagréable envers son arrogant patron.

— Je me suis mal conduite, je le sais, ajouta-t-elle, mais avec le choc que j'ai reçu hier soir... et ce matin quand j'ai découvert un étranger à la place de Cynthia à côté de moi, je...

— Justement, je voulais t'en parler, coupa Bryce. J'ai été sidéré en apprenant que mon patron avait passé la nuit avec ma fille, même s'il s'agissait d'un pur hasard.

— Ne t'inquiète pas, j'étais sidérée aussi, mais il vaut mieux en rire.

Bryce serra affectueusement sa fille contre lui.

— Ma pauvre petite, tu dois cette mésaventure à ce maudit appartement étriqué.

Il parcourut la pièce d'un regard dégoûté.

— Je ne l'ai jamais aimé.

— Nous savions depuis le début que nous n'y resterions pas longtemps, rappela Nicole, et son expression s'assombrit soudain.

Si les événements s'étaient déroulés comme prévu, elle aurait quitté ces lieux pour devenir la femme de Julian.

— Je ne peux plus supporter cet endroit, déclara son père. Que dirais-tu de partir tout de suite pour une randonnée à cheval ?

A cette perspective, Nicole ne put retenir ses larmes. Normalement, en cette saison, elle passait tous ses dimanches avec Julian à la plage. Ils rencontraient des amis, paressaient au soleil sur le sable doré, faisaient du surf, puis terminaient la journée par un bon repas au restaurant. La jeune fille s'efforça de chasser de son esprit ces souvenirs douloureux. Ces temps-là étaient révolus, elle devait songer à l'avenir.

32

— C'est une bonne idée, dit-elle à son père en lui souriant bravement.

Nicole ne s'était pas adonnée à l'équitation depuis des mois alors que son père pratiquait régulièrement ce sport. Au bout d'un moment, elle se réjouit pour de bon de remonter à cheval. Elle avait toujours éprouvé une enivrante sensation de liberté en galopant et, sur un cheval, elle se sentait plus proche de la nature que lorsqu'elle se promenait en voiture. Oui, ce triste dimanche ne pouvait pas être mieux utilisé. En écoutant le sol résonner sous les sabots d'un cheval, en sentant le vent dans sa chevelure transformée en flottante bannière de soie, elle oublierait peut-être pendant quelques heures son chagrin.

L'équitation se révéla en effet un bon remède et, durant la semaine qui suivit, Nicole n'eut pas non plus le temps de ressasser son malheur. Outre ses heures normales d'enseignement à la piscine, elle dut assister à divers championnats de natation, et ses loisirs furent absorbés par les préparatifs du mariage de Cynthia.

La cérémonie se déroula à la perfection. Radieuse, Cynthia marcha jusqu'à l'autel au bras de son père dans un nuage d'organdi et de dentelle. Les nombreux bouquets de fleurs disposés dans l'église dispensaient un parfum délicat. Ensuite, l'assistance escorta l'heureux couple jusqu'à sa voiture. Selon la tradition, on leur jeta du riz et des confettis, puis il partirent en voyage de noces. Une grande réception eut lieu en leur honneur et elle se termina fort tard. De retour chez eux, Nicole et son père s'écroulèrent épuisés sur leurs lits, mais ils étaient contents. Cette journée avait été une réussite qu'aucune fausse note n'avait troublée.

Dès le lendemain, Nicole dut se consacrer à son propre départ et à celui de son père, fixés au jeudi suivant. Tandis qu'elle emballait leurs affaires et réglait les nombreux détails afférents à un déménagement, elle ne trouva pas non plus la possibilité de réfléchir et de se rendre malheureuse. En deux jours, elle et son père atteindraient leur destination sans se presser. Bryce avait prévu de s'arrêter pour une nuit à mi-chemin chez un ami. Il avait l'intention de lui acheter deux bons chevaux et des chiens de berger. Il repartait travailler à la campagne avec un immense enthousiasme.

Quant à Nicole, elle n'envisageait évidemment pas le futur avec le même plaisir. Le mardi, elle reçut un choc pénible en rencontrant par hasard Julian pendant qu'elle faisait des courses. Ils furent aussi embarrassés l'un que l'autre, étant donné la manière déplorable dont ils s'étaient quittés dix jours plus tôt. Le second événement marquant de ce début de semaine fut un appel téléphonique de Lang Jamieson. Lorsque Nicole reconnut sa voix grave et mélodieuse, les battements de son cœur s'accélérèrent malgré elle. Il lui annonça qu'elle était attendue avec impatience à la piscine, et que sa chambre était déjà prête chez les sœurs Guthrie. Après cette brève conversation, Nicole se trouva dans un état de nervosité extrême. Elle ne sut à quoi l'attribuer. Lang réussissait sans doute même au téléphone à réveiller l'antipathie qu'il lui inspirait. Pendant le voyage, la jeune fille ne cessa d'appréhender le moment où il lui faudrait de nouveau affronter cet homme.

Nullegai était une petite agglomération très animée, située au pied des montagnes, là où commençaient les immenses plaines. Nicole et son père y arrivèrent le samedi après-midi. Les larges rues bordées d'arbres regorgeaient de couleurs. Le pourpre des bauhinies se mêlait à l'or des acacias et l'écarlate des bougainvillées.

Bryce ralentit dans le but de demander son chemin à un passant. Juste à ce moment-là, Nicole aperçut le nom de la rue des sœurs Guthrie de l'autre côté du carrefour.

34

— C'est en face, dit-elle, et son père suivit la direction qu'elle lui indiquait.

— Cette rue porte bien son nom, fit-il en admirant la double rangée d'acacias en fleurs. Rue des Acacias, c'est charmant !

Nicole lui répondit par un sourire. Elle guettait le numéro de la maison des demoiselles Guthrie.

La voiture s'arrêta devant une vaste demeure ancienne en brique, entourée de pelouses bien entretenues. D'éclatantes azalées s'épanouissaient à profusion le long de la clôture.

— Quel changement par rapport à l'appartement que nous avons quitté ! s'exclama Bryce.

— Oh oui ! reconnut Nicole.

Elle aussi avait souffert dans ce logement exigu, aussi triste qu'un dortoir.

— J'espère que les propriétaires sont à l'image de la maison et du jardin, ajouta-t-elle.

D'un signe de la tête, son père lui désigna une grande femme aux cheveux gris, vêtue d'une robe en coton, qui descendait l'allée à leur rencontre.

— Nous serons bientôt fixés, déclara-t-il. Voici quelqu'un.

— Monsieur Lockwood ? Nicole ?

La femme les gratifia d'un large sourire tandis qu'ils sortaient de la voiture.

— Bienvenue à Nullegai ! Je suis Ivy Guthrie. J'ai bien pensé que c'était vous en voyant la remorque.

Son regard s'attarda un instant sur le van et ses deux chevaux, puis elle annonça :

— Ida est justement en train de préparer le thé. Je suis sûre qu'après un long voyage vous en boirez avec plaisir. Entrez donc !

Bryce secoua la tête.

— Non, je vous remercie infiniment, Miss Guthrie, mais je dépose simplement Nicole. Pardonnez-moi, je dois repartir tout de suite.

— Le chemin est encore long jusqu'à Yallambee. Reposez-vous donc un moment en acceptant une tasse de thé, insista-t-elle sans se décourager. Si vous craignez pour vos chevaux, mettez-les à l'ombre.

Elle pointa l'index vers deux énormes pins qui se dressaient devant le garage. Comme Bryce avait refusé l'invitation de la demoiselle à cause des deux bêtes, il accueillit avec gratitude cette proposition et conduisit le van à l'abri du soleil. L'accomodante personne lui offrit de libérer les chiens qui ne risquaient pas de s'échapper de la propriété bien clôturée. Ils bondirent sans se faire prier hors de la voiture et se mirent à courir dans l'herbe.

L'intérieur de la maison ressemblait à la caverne d'Ali Baba par l'accumulation d'objets que les deux demoiselles chérissaient sans doute comme des trésors. Des photographies et tout un bric-à-brac occupaient le moindre espace disponible. Toutefois, les pièces étaient parfaitement propres et rangées. De toute évidence, les demoiselles entretenaient depuis de longues années leur foyer avec amour. Le mobilier ancien, possédant certainement une grande valeur, avait gardé l'aspect du neuf.

Grâce à deux personnes aussi vives et bavardes qu'Ida et Ivy Guthrie, la conversation alla bon train. Les interlocuteurs ne tardèrent pas à décider de s'appeler par leurs prénoms. Un peu plus petite et plus jeune que sa sœur, Ida se révéla tout aussi sympathique. Une simple demi-heure passée en leur compagnie rassura Bryce. Il avait eu raison de convaincre sa fille de partir avec lui. Elle se remettrait bien plus facilement de la trahison de Julian ici que seule dans le triste appartement de Sydney.

Refusant la troisième tranche de gâteau que lui offrait Ida, Bryce finit par se lever avec un soupir.

— Eh bien, ma chérie, je dois te quitter à présent. Si

je ne pars pas tout de suite, je n'arriverai pas chez Lang avant la tombée de la nuit.

— Te verrai-je le week-end prochain? s'enquit-elle tandis qu'il sortait ses bagages du coffre de la voiture.

— Evidemment, fit-il, surpris par cette question, puis il adressa à sa fille un large sourire. A moins que d'ici là, tu n'aies trouvé une autre compagnie!

— Si c'est à une compagnie masculine que tu fais allusion, mieux vaut que je t'avertisse tout de suite. Il n'y aura plus d'hommes dans ma vie.

Bryce avait remarqué cette attitude de refus depuis quinze jours, mais il avait jugé sage de ne pas brusquer sa fille. Cette fois encore, il préféra plaisanter :

— Et moi alors?

Nicole esquissa une petite grimace mi-amusée, mi-agacée.

— Tu es le seul en qui j'aie confiance.

— Tu peux, ma chérie.

Ivy les attendait dans le hall et les conduisit dans la chambre destinée à la jeune fille. C'était une grande pièce haute de plafond, aménagée avec beaucoup de goût et de raffinement. Le rose pâle y dominait. Nicole n'eut pas le temps de l'examiner en détails car son père déposa les valises au pied du lit à colonnes et ressortit aussitôt. Il prit congé des sœurs Guthrie, fit remonter ses chiens à l'arrière du véhicule et, après avoir déposé un tendre baiser sur le front de sa fille, il se mit au volant. Il avait hâte à présent d'arriver au terme de son voyage.

— Je te téléphonerai, promit-il. Tu peux aussi me joindre le soir si tu as un problème. Tu as mon numéro, n'est-ce pas?

— Oui, je l'ai, répondit-elle. Je suppose que nous passerons les week-ends à Nullegai?

— Eh bien, ce n'était pas mon idée, avoua Bryce. Je viens de vivre de longues années en ville, je n'ai guère envie d'y passer mes jours de congé. Je pensais au contraire que nous nous retrouverions chez moi à Yallambee.

Nicole fixa son regard sur le jardin sans le voir. Une seule pensée occupait son esprit. Si Yallambee n'avait pas appartenu à Lang Jamieson, elle s'y serait sans doute rendue bien volontiers à chaque fin de semaine. Mais le propriétaire de ce domaine lui inspirait une telle méfiance qu'elle souhaitait rester à bonne distance. Bryce s'aperçut de ses hésitations.

— N'es-tu pas curieuse de connaître l'endroit où je vais vivre et travailler ?

Le ton déçu de son père l'incita à ramener son regard sur lui et à émettre un petit rire.

— Mais si, bien sûr ! Je me demandais seulement par quel moyen je pourrai aller là-bas.

Elle avait menti de gaieté de cœur, la tendresse qu'elle portait à son père l'emportant sur ses réticences.

— Je viendrai te chercher et je te ramènerai.

— Le trajet est bien trop long, protesta-t-elle.

Il la considéra avec une profonde affection.

— Pour toi, je ferai avec joie tous ces kilomètres.

— Flatteur ! lança-t-elle en éclatant d'un rire plus détendu et naturel cette fois. Tu devrais avoir honte d'employer de tels arguments pour me convaincre !

— J'ai honte, fit-il en lui adressant un clin d'œil malicieux, mais j'ai gagné, c'est l'essentiel ! Maintenant, je dois vraiment me remettre en route. A samedi prochain, Nicky !

— Entendu, papa.

Elle se pencha et l'embrassa encore une fois. Puis il claqua la portière et mit le contact à regret.

— Prends bien soin de toi, ajouta-t-elle pendant qu'il démarrait.

Elle accompagna la voiture jusqu'au portail et agita la main. Quand le véhicule eut disparu au bout de la rue, elle retourna lentement vers la maison. Elle était songeuse. Elle aurait préféré se tenir à l'écart de

Yallambee et de son propriétaire. Même si leurs rencontres ne devaient être que rares et brèves, elle doutait de pouvoir manifester à cet homme l'amabilité que son père attendait d'elle. Le seul fait de penser à Lang en cet instant suffisait à la plonger dans un étrange état de nervosité.

Elle s'arrêta de marcher et se força à respirer à fond pour retrouver son calme. Ce n'était pas en perdant si vite le contrôle d'elle-même qu'elle parviendrait à tenir tête à l'arrogant Lang Jamieson. Non, elle devait opposer une indifférence glaciale à son audace et son orgueil de mâle. Au fait, pourquoi s'inquiétait-elle tant à l'avance ? Son père possédait sa propre maison dans la propriété. Dans ces conditions, surtout si elle prenait ses précautions, il lui serait facile d'éviter Lang.

Un bruit de pas derrière elle dans l'allée la tira de ses réflexions. Se retournant, elle fit face à un jeune homme d'environ vingt-cinq ans, qui s'avançait avec un sourire amical.

— Bonjour ! Vous êtes Nicole Lockwood, je suppose. Quant à moi, je suis Eric Nicholls, l'autre locataire des demoiselles Guthrie.

— Enchantée de faire votre connaissance, Eric, répondit-elle aussitôt en lui rendant son sourire. Je suis arrivée il y a une petite heure avec mon père et il vient de partir.

Une lueur d'intérêt apparut dans les yeux bleus surmontés de sourcils châtains, de la même couleur que les cheveux d'Eric.

— Votre père est le nouvel intendant de Lang Jamieson, n'est-ce pas ? Ivy et Ida me l'ont dit ce matin au petit déjeuner.

— C'est exact, dit-elle.

Eric ouvrit la porte et s'effaça pour la laisser pénétrer la première à l'intérieur de la maison.

— Vous ne connaissez personne ici !

Il s'agissait plus d'une affirmation que d'une question, et le jeune homme en semblait à la fois désolé pour Nicole et ravi pour lui. Il pouvait de ce fait lui proposer sa compagnie et il ne tarda d'ailleurs pas à le faire :

— Si vous n'avez rien de prévu, venez donc avec moi à la piscine ! Vous rencontrerez tout de suite le directeur, Rod Barker. Je suis instituteur et je nage tous les jours après la classe.

Il s'interrompit un instant comme si un doute lui traversait l'esprit, et il reprit avec humour :

— Mais vous faites peut-être partie de ces gens qui n'accepteraient pour rien au monde de se trouver sur leur lieu de travail en dehors de leurs horaires ?

Eric savait déjà beaucoup de choses sur elle, et Nicole ne s'en étonna pas. Les sœurs Guthrie étaient bavardes, elle s'en était tout de suite rendu compte. Elle repoussa la supposition de son interlocuteur avec un éclat de rire :

— Non, j'aime trop la natation pour ne pas retourner à la piscine en dehors de mes heures de travail. Je vous remercie de votre invitation, mais je ne peux pas vous suivre aujourd'hui. Je dois défaire mes bagages et j'aimerais bien que toutes mes affaires soient rangées dès cet après-midi car je commence à travailler demain.

— Vous avez la soirée pour ranger, objecta-t-il.

Elle l'admit d'un hochement de tête.

— Mais n'y a-t-il pas foule aujourd'hui à la piscine ? demanda-t-elle alors. Un dimanche après-midi aussi chaud, la piscine de Sydney aurait été envahie, rendant la nage pratiquement impossible.

— Vous n'êtes plus à Sydney, lui rappela Eric, amusé par cette réflexion. Au printemps, les journées sont peut-être plus chaudes ici, mais les nuits sont froides, aussi la température de l'eau reste relativement basse. A part quelques personnes courageuses comme moi, la population de Nullegai attendra encore quelques semaines pour étrenner sa belle piscine toute neuve.

— Si je comprends bien, pour le moment on y gèle !

— Non, n'exagérons pas, fit-il en riant de sa grimace. Le premier contact avec l'eau est un peu dur, c'est tout.

Nicole le considéra tout de même d'un air méfiant, puis elle sourit.

— Je ne suis pas raisonnable, mais tant pis. Je viens avec vous. Je n'ai jamais pu résister à l'envie de nager.

— Bravo ! Je vous retrouve ici dès que vous serez prête, d'accord ?

— D'accord. La piscine est-elle loin d'ici ?

— A deux pas. Nous contournons la maison, sortons par la petite porte qui est au fond du jardin et ensuite, il n'y a qu'à traverser la rue et faire quelques mètres vers la droite.

— C'est parfait ! s'exclama Nicole. Je ne dépenserai pas des fortunes en trajets pour me rendre à mon travail !

Ils éclatèrent tous les deux de rire, puis la jeune fille monta vite jusqu'à sa chambre. De l'une de ses valises, elle sortit ses nombreux maillots de bain et son choix se porta sur un joli une pièce à rayures jaunes et noires. Elle ramassa ses cheveux en une queue de cheval et glissa un bonnet en caoutchouc et une serviette éponge dans un sac en toile.

Lorsqu'elle redescendit, Eric l'accueillit avec un compliment :

— Vous vous êtes préparée en un temps record.

Tandis qu'ils traversaient le jardin, Nicole lui expliqua :

— Pour aller à la piscine, je me contente de prendre un maillot de bain, je ne me fais pas une beauté. J'y vais pour nager, vous savez, pas pour m'amuser !

Les yeux bleus parcoururent la silhouette gracieuse de la jeune fille avec une certaine déception.

— J'ai l'impression que ces paroles contiennent un avertissement.

Nicole faillit s'écrier :

« Ne le prenez pas pour vous, ce n'est pas ce que je voulais dire ! »

Elle décida finalement de laisser Eric comprendre ce qu'il voulait et se borna à lui sourire. Après tout, autant lui enlever tout de suite ses illusions. Nicole était déterminée à ne plus jamais dépasser le stade de l'amitié avec un homme. Eric lui semblait charmant, mais elle restait de marbre. Julian aussi était charmant et elle n'oublierait jamais le chagrin et l'humiliation qu'il lui avait infligés.

En quittant le jardin par la porte de derrière, ils débouchèrent sur une large rue tranquille. Nicole eut le souffle coupé par la maison — fallait-il plutôt dire le palais ? — qu'elle découvrit juste en face. C'était une vaste construction de deux étages, précédée par une immense véranda dont le toit légèrement incliné était soutenu par de fines colonnes cannelées. Il émanait un charme singulier de cette majestueuse demeure entourée de pelouses lisses comme du velours et de grands arbres au feuillage épais.

— Quelle maison magnifique ! s'exclama Nicole.

Elle ne put s'empêcher de s'arrêter pour l'admirer.

— C'est la demeure d'Eunice Blanchard, de la haute société de Nullegai. Seules les quelques personnes qu'elle daigne fréquenter ont le droit de l'appeler ainsi. Pour nous, simples mortels, elle est Mme Blanchard, expliqua Eric sur un ton sec. J'ai eu l'occasion de la rencontrer une fois car son fils est dans ma classe, et une fois suffit, croyez-moi !

Il pinça les lèvres d'une manière ironique.

— Les gens de son espèce m'agacent prodigieusement.

Après un dernier regard à l'éblouissante demeure, Nicole se remit à marcher.

— Elle se montrera peut-être plus aimable lors de la prochaine rencontre ! lança-t-elle à son compagnon.

Eric secoua la tête d'un air peu convaincu.

— Cela m'étonnerait, et vous le comprendrez vite vous-même. D'après ce que j'ai entendu dire, Mme Blanchard a l'intention d'inscrire son fils Gervais à vos cours de natation. Ne vous risquez surtout pas à l'appeler amicalement Gerry car son orgueilleuse maman vous volera immédiatement dans les plumes !

Un sourire amusé apparut sur les lèvres de Nicole.

— C'est pour cette raison qu'elle est venue vous voir, devina-t-elle.

— Tout juste, accorda Eric en roulant les yeux d'une manière comique. Elle m'a reproché cette petite familiarité comme si j'avais commis un horrible crime.

— Dans ce cas, je me tiendrai sur mes gardes, déclara la jeune fille. Je vous remercie de m'avoir avertie.

Une fois à la piscine, Nicole passa la première heure en compagnie de Rod Barker. Il lui fit visiter à fond les installations. C'était un homme un peu trapu et d'abord agréable. Ils ne tardèrent pas à discuter avec passion de natation et des divers types de piscines qu'ils connaissaient.

Absorbés par leur conversation, ils ne virent pas le temps passer. Finalement, Eric sortit de l'eau et héla Nicole :

— Alors, je croyais que vous étiez venue pour nager !

La jeune fille regarda sa montre et poussa une exclamation de stupeur :

— Mon Dieu, il faut que je rejoigne Eric ! Rod, vous disiez que ma première leçon a lieu demain matin à dix heures ?

— C'est cela, fit-il. Vous aurez les deux filles de Pat Wheeler. Elles ne vous poseront pas de problèmes car elles ne demandent pas mieux que d'apprendre.

Nicole quitta Rod et courut se changer dans une cabine. Elle rejoignit Eric au bord de la piscine tout en mettant son bonnet.

— Je suppose que l'eau est encore plus froide qu'il y a une heure, fit-elle. Je n'aurais pas dû bavarder si longtemps, c'est ma faute.

Avec une grimace, elle regarda l'ombre qui s'était allongée sous les arbres. Ses craintes étaient justifiées. Lorsqu'elle plongea, l'eau était vraiment froide. Mais tandis qu'elle entamait sans se laisser décourager une première longueur dans un style volontairement décontracté, elle s'habitua à la température.

Eric l'accompagna quelque temps, puis il se contenta de la regarder. Quand elle revint vers lui, son visage exprimait une franche admiration :

— Vous êtes jolie et en outre, intéressante à voir à l'œuvre ! plaisanta-t-il. Je suis sûr que vous ne gaspillez pas un seul brin d'énergie.

Nicole émit un petit rire satisfait.

— J'espère bien que non. La natation consiste justement à canaliser toutes ses forces pour se propulser. C'est ce que je tente d'enseigner à mes élèves. Remarquez, les meilleurs nageurs ne sont pas toujours les meilleurs professeurs.

— Vous êtes l'exception qui confirme la règle ! répliqua malicieusement Eric.

— Evidemment ! fit-elle sur le même ton.

La nuit tombait, et elle ne put s'empêcher de frissonner.

— Je crois que nous devrions rentrer à présent, déclara-t-elle, sinon les enfants de Nullegai risquent d'être privés de leurs inestimables professeurs demain pour cause de pneumonie ! Faisons encore quelques longueurs et partons, si vous le voulez bien.

— Entendu. En nage libre ?

— Non, je vous propose la brasse papillon pour nous réchauffer !

A la fin, d'un commun accord, ils nagèrent côte à côte, sans rivaliser de vitesse, en se concentrant sur l'harmonie de leurs gestes.

— Ce fut très agréable, affirma Nicole sur le chemin du retour. C'est un plaisir de nager dans un bassin lorsqu'il n'y a personne.

— Il faut en profiter car la piscine sera bientôt envahie.

— Je vous crois volontiers. Avez-vous une idée du nombre d'enfants qui ont déjà pratiqué la natation à Nullegai ?

Eric haussa les épaules en signe d'ignorance.

— Je suis incapable de vous donner un chiffre, mais la natation a toujours été en vogue ici. Certains ont suivi des stages à l'extérieur pendant leurs vacances, et beaucoup ont nagé dans les rivières et les lacs des alentours. Le patron de votre père vous renseignerait sûrement mieux que moi. Je ne suis arrivé que depuis quinze jours, ne l'oubliez pas.

Une ride de contrariété barra soudain le front de Nicole. Elle ne s'en voulait pourtant pas d'avoir oublié qu'Eric était comme elle un nouveau venu à Nullegai. Non, elle s'était raidie en entendant parler du propriétaire de Yallambee.

— Lang Jamieson connaîtrait-il les réponses à toutes les questions ? lança-t-elle sur un ton sarcastique. Il est peut-être l'homme le plus riche de la région — cela, elle l'avait compris en bavardant avec les sœurs Guthrie au cours de l'après-midi — mais ne me dites pas qu'il est aussi le plus savant !

Eric fut peut-être surpris par la brusque véhémence manifestée par la jeune fille, mais il ne le montra pas. Il se contenta de rire et d'expliquer :

— Il ne sait certainement pas tout, mais en tant que principal instigateur du projet de construction de la piscine et président du Club de natation, il est normal qu'il soit informé sur ce sujet.

— Comment ? Il est le président du Club de natation !

Nicole n'en croyait pas ses oreilles. Il avait sûrement omis exprès de lui révéler ce détail. Eric considérait cette fois la jeune fille avec étonnement.

— Vous l'ignoriez ? Je pensais qu'il vous l'avait dit lors de l'entretien qu'il a eu avec vous.

Quel entretien ! Nicole n'était pas près d'oublier la conversation houleuse de ce dimanche matin. Eric s'imaginait sans doute qu'elle avait été engagée à la piscine dans des conditions normales de recrutement. Il ne savait pas que Lang Jamieson avait tout arrangé selon son plan, en se gardant bien de dévoiler son rôle dans le club. Si elle avait été au courant, Nicole ne serait pour rien au monde venue à Nullegai. Ah, il s'était bien moqué d'elle ! Nicole découvrait que Lang Jamieson n'était pas seulement le patron de son père. Il était aussi l'homme auquel elle aurait affaire dans son propre métier.

Dissimulant sa colère et ses appréhensions, elle déclara sur le ton le plus neutre possible :

— Non, il ne m'a rien dit. Il ne m'a d'ailleurs pas parlé du Club de natation.

Et elle savait à présent pourquoi il était resté si discret sur ce sujet.

3

Les jours devinrent de plus en plus chauds, et la température de l'eau monta en conséquence. Les gens s'habituèrent à voir Nicole à la piscine. Parfois, elle marchait le long du bord en donnant des conseils aux nageurs déjà confirmés, parfois elle se joignait aux débutants dans l'eau pour leur montrer l'exemple et les encourager.

De toute évidence, les parents de Nullegai avaient attendu avec impatience un professeur. La nouvelle de l'arrivée de la jeune fille se répandit vite, et elle ne manqua pas de travail. Certains jours, elle devait repousser le plaisir de nager un peu pour elle-même à l'heure où la piscine fermait au public.

Eric continuait à venir tous les après-midi après la classe. Il ne faisait souvent qu'apercevoir Nicole, car c'était le moment de la journée où son travail l'accaparait le plus. Ils échangeaient quelques mots entre deux leçons. D'ailleurs, Nicole se félicitait plutôt de cette situation parce qu'Eric lui imposait sa compagnie plus qu'elle ne l'aurait désiré. Certes, il était charmant, et son empressement se justifiait dans la mesure où ils étaient tous les deux étrangers dans cette ville. Il était normal de se rapprocher. Mais tant d'assiduité importunait plutôt Nicole. Eric la suivait partout, même le soir quand elle faisait une courte promenade ou allait poster une lettre pour sa sœur après le dîner. Elle fut ravie d'avoir un prétexte le jour où il l'invita à une soirée donnée par ses collègues enseignants. Elle refusa car son père venait la chercher après son dernier cours du samedi matin pour l'emmener passer le week-end à Yallambee.

Elle aurait pu lui dire franchement qu'elle souhaitait garder avec lui des rapports de simple camaraderie. Il n'avait apparemment pas pris au sérieux la remarque qu'elle lui avait faite lors de leur première rencontre. Elle préféra toutefois garder le silence car ils vivaient sous le même toit, et elle ne voulait pas risquer de troubler par des paroles un peu dures la joyeuse atmosphère qui y régnait. Elle comptait plutôt sur son travail. Durant la saison d'été, elle aurait des horaires chargés, propres à décourager le plus obstiné des hommes.

Samedi matin, Nicole arriva à la piscine avant Rod Barker. Un groupe d'enfants était déjà posté devant le portail. La jeune fille l'ouvrit avec sa clé, et les jeunes nageurs coururent vers le vestiaire.

— Puis-je aller chercher les planches, Miss Lookwood ? demanda la fillette qui sortit la première de sa cabine.

Nicole était en train de noter les présences sur un registre. Elle leva la tête et acquiesça avec un sourire.

— Oui, merci Rhonda, fit-elle en mettant la clé de la salle du matériel dans la main de la ravissante petite blonde dont la chevelure était à présent cachée par un bonnet.

— Dis aux autres que nous allons travailler le mouvement des jambes.

— Oui, Miss Lockwood, répondit la fillette, fière de pouvoir annoncer cette décision aux autres.

Quelques minutes plus tard, Rhonda rendait la clé à son professeur et traversait la pelouse en courant pour rejoindre ses camarades au bord de la piscine. Nicole la regarda avancer à petits bonds enthousiastes. Ah, Rhonda était vraiment l'élève idéale ! Elle se donnait à fond dans l'effort, pensa Nicole, elle...

— Excusez-moi...

Une voix jeune détourna Nicole de Rhonda. Auprès d'elle se tenait un garçon d'environ dix ans, au corps assez anguleux. Il la fixait sans la moindre gêne à travers le guichet d'entrée vitré de la piscine. Son survêtement d'excellente qualité et orné de ses initiales le distinguait des autres enfants. De même, Nicole n'avait jamais vu un regard aussi plein d'assurance chez quelqu'un de cet âge.

— Je suis Gervais Blanchard, déclara-t-il sur un ton important. Ma mère m'envoie pour des cours particuliers de perfectionnement.

Blanchard ! Nicole fronça imperceptiblement les sourcils le temps de retrouver ce que ce nom évoquait pour elle. Oui, bien sûr, il s'agissait des Blanchard qui habitaient la magnifique demeure derrière le jardin des sœurs Guthrie.

— Je regrette, Gervais, mais je ne donne pas de cours particuliers le samedi, répliqua-t-elle avec un sourire aimable. Mais tu peux te joindre au groupe qui m'attend là-bas si tu le désires.

Comme il ne répondait pas, elle se demanda si sous son air distant et fier ne se cachait pas de la timidité, et elle ajouta :

— Tu connais la plupart de ces enfants, n'est-ce pas ?

Le regard de Gervais parcourut rapidement la dizaine de filles et de garçons qui s'amusaient sur le bord de la piscine en attendant la permission d'entrer dans l'eau.

— Oui, je les connais, admit-il avec un petit haussement d'épaules dédaigneux. Mais je veux des cours particuliers. Ma mère dit que pour avoir le meilleur, il faut payer très cher.

— Oui... oui, c'est peut-être vrai dans certains cas,

concéda gentiment Nicole qui n'appréciait pourtant guère ce genre de théories. Mais les enfants auxquels j'apprends à nager bénéficient tous du même enseignement, qu'ils viennent seuls ou en groupe.

— Mais ma mère dit que..., reprit Gervais d'un air buté.

D'un petit rire, Nicole mit fin à la discussion. Mme Blanchard avait de toute évidence convaincu son fils de la supériorité des cours particuliers. La jeune fille éleva la main en signe d'apaisement.

— Bon, si tu désires des cours particuliers, je te propose le lundi après la classe. Cela te convient-il ?

Au lieu de répondre, l'enfant posa une question à son tour :

— Pourquoi pas cet après-midi, ou demain ?

— Parce qu'après le cours de ces enfants-là, expliqua-t-elle en adressant un signe de la main au groupe qui commençait à s'impatienter, je ne travaille plus du week-end.

— Vous pourriez faire une exception pour moi, je suppose ?

Gervais avait émis cette idée sur un ton si péremptoire que Nicole ne put réprimer une exclamation de surprise.

— Non, je regrette, c'est impossible.

Jugeant qu'elle s'était montrée un peu sèche, elle ajouta :

— Tu comprends, je ne serai même pas à Nullegai. Je vais voir mon père à Yallambee.

— Ah oui, le nouvel homme que Lang Jamieson paie pour surveiller sa propriété !

— Si l'on veut, accorda-t-elle avec raideur.

Cet enfant parlait d'une manière intolérablement méprisante. Si elle ne s'était pas retenue, elle lui aurait donné une petite leçon de politesse.

— Est-ce que vous connaissez Lang ? demanda-t-il

en guettant la réponse de Nicole avec un intérêt tout particulier.

— Je l'ai rencontré une seule fois jusqu'à présent, répondit-elle avec une fausse désinvolture.

Elle n'avait pas l'intention de se lancer dans une discussion sur ce personnage, et surtout pas avec ce petit prétentieux de dix ans.

— Il faut que je te laisse, maintenant, annonça-t-elle. Les enfants m'attendent.

Elle fit deux pas puis se retourna :

— Alors, est-ce que je t'inscris pour le lundi ?

Gervais poussa un grand soupir, comme s'il consentait à lui faire une vraie faveur, et hocha la tête.

— Oui, inscrivez-moi, mais... ma mère ne sera pas contente. Elle voulait que je commence dès aujourd'hui.

Le jeune garçon s'était sûrement déjà servi de ce genre de réflexion pour intimider ses interlocuteurs et parvenir à les faire changer d'avis. Nicole perçut immédiatement la manœuvre et s'éloigna sans remords. Si Eunice Blanchard ne s'estimait pas satisfaite, rien ne l'empêchait de chercher un autre professeur pour son précieux fils. A première vue, celui-ci n'avait d'ailleurs rien d'un être d'exception. Il s'agissait d'un enfant comme les autres, à cette différence près qu'il était trop gâté.

Le cours se déroula parfaitement ce matin-là. La plupart des enfants progressaient bien. Une fois de plus, Rhonda se distingua du groupe et, dans sa passion pour la natation, elle quitta le bassin la dernière.

— Je vous ai vue parler avec Gervais Blanchard, dit-elle en aidant Nicole à ranger le matériel. Est-ce qu'il va venir nager avec nous ?

Nicole fit non de la tête et expliqua :

— Sa mère veut qu'il prenne des cours particuliers. Il viendra lundi après la classe.

— Tant mieux.

— Pourquoi ? Tu ne l'aimes pas ?

— Pas beaucoup, avoua Rhonda et soudain, elle abandonna sa réserve pour révéler : personne ne l'aime. Toute la classe attend l'année prochaine avec impatience. Il doit partir dans un pensionnat.

Par curiosité, Nicole aurait volontiers questionné davantage la fillette. Pourquoi se montrait-elle hostile à Gervais ? Elle préféra se taire, mais sa jeune interlocutrice continua spontanément :

— Il se croit supérieur à nous, expliqua-t-elle avec une moue désapprobatrice. Il ne mérite pas d'avoir un papa comme M. Jamieson.

— *Lang* Jamieson ! s'écria Nicole.

Rhonda le lui confirma d'un signe de la tête, puis elle se couvrit le visage de ses mains et éclata d'un rire enfantin.

— Oh non, ce n'est pas son vrai papa. Il va épouser Mme Blanchard. Il deviendra alors le nouveau papa de Gervais, le... Vous savez, le...

— Beau-père ? souffla Nicole.

— Oui, fit Rhonda. En tout cas, Gervais le dit, mais il raconte souvent des mensonges.

— Pas sur un sujet aussi important !

Rhonda haussa ses frêles épaules.

— Il en est capable.

Nicole n'osa pas demander de nouvelles explications à son élève. Ce début de conversation lui avait déjà ouvert bien des horizons.

La jeune fille pensa encore à ce qu'elle avait appris en quittant la piscine et en regagnant lentement la maison des sœurs Guthrie. Le patron de son père allait se marier avec la fameuse Mme Blanchard. Cette affaire ne la concernait en rien et pourtant, elle occupa son esprit jusqu'au moment où elle retrouva Ivy et se mit à parler avec elle.

— Mon père n'est pas encore arrivé ? fit-elle en pénétrant à l'intérieur de la demeure.

Elle n'avait pas vu sa voiture dans la rue.

— Non, pas encore, répondit Ivy avec un sourire.

Une pile de linge bien plié sur les bras, elle sortait tout juste de la buanderie.

— Mais il ne va pas tarder. Vous avez juste le temps de vous changer et d'emballer vos affaires pour le week-end. N'oubliez pas de me donner votre survêtement afin que je le nettoie pour lundi.

Sur ces paroles aimables, la demoiselle s'éloigna.

— Non, je n'oublierai pas, Ivy, merci.

Une fois dans sa chambre, Nicole retira rapidement son survêtement bleu et blanc et son maillot rouge uni. Elle revêtit une courte robe de coton rose qui mettait en valeur sa silhouette élancée. L'encolure échancrée dévoilait sa peau joliment bronzée. Pour tout maquillage, elle mit une touche de rouge sur ses lèvres. Elle brossa ensuite ses cheveux et les rejeta en arrière au moyen d'un bandeau du même rose que sa robe. Les longues mèches blondes et soyeuses retombaient en cascade sur ses épaules. Elle plaça enfin quelques effets dans une petite valise, la ferma et descendit en portant d'une main son léger bagage, de l'autre le linge à laver pour Ivy.

En revenant de la buanderie, elle entendit une voix d'homme dans la cuisine où se trouvait Ida. Elle crut qu'elle ne s'était pas aperçu de l'arrivée de son père et poussa vivement la porte pour courir avec joie vers lui.

Elle allait se jeter dans ses bras quand elle s'immobilisa soudain. Ce n'était pas son père qui était appuyé dans une pose décontractée contre le placard de la cuisine. C'était un homme plus grand, au corps encore plus musclé. Des yeux marron parsemés de paillettes d'or se posèrent sur elle.

— Oh! s'exclama Nicole.

Elle ne s'était pas attendue à affronter si brutalement Láng Jamieson. Elle avait compté sur un peu de temps pour se préparer à leur seconde rencontre. Il lui fallut quelques secondes pour se remettre de sa surprise et balbutier :

— Bon... bonjour.

Sa voix tremblante trahissait bien trop à son goût l'émotion qu'elle éprouvait. Elle s'efforça de se justifier en haussant les épaules avec une feinte désinvolture :

— J'ai entendu une voix et j'ai cru que mon père était là. Je l'attends d'une minute à l'autre.

— Je regrette mais il a été retenu à Yallambee, répliqua Lang en lui adressant un sourire de pure politesse derrière lequel Nicole discerna sans mal une grande froideur. Comme j'avais à faire à Nullegai ce matin, je lui ai proposé de passer vous chercher.

— C'est vraiment gentil de votre part, admit-elle en laissant percer une subtile ironie qu'il perçut sûrement. Et par quoi a-t-il été retenu ? ajouta-t-elle en détachant bien ses mots.

— Par une vache, expliqua Lang. Elle a apparemment décidé de mettre bas ce matin et elle nous pose des problèmes.

Le père de Nicole devait veiller sur le bétail, cela faisait en effet partie de ses responsabilités. La jeune fille se borna à murmurer :

— Bon, je suis prête. Nous pouvons partir, si vous avez réglé toutes vos affaires, naturellement.

Plus tôt elle se mettrait en route, songea-t-elle, plus tôt la corvée de ce voyage avec Lang serait terminée.

— J'ai fini, fit-il d'une voix dure qui éveilla la curiosité de Nicole.

Il donnait l'impression d'être venu à Nullegai pour régler une question tambour battant. Nicole se faisait peut-être des illusions, mais il lui semblait que quelqu'un dans Nullegai regrettait en ce moment même d'avoir rencontré Lang Jamieson.

— Où sont vos bagages ? demanda-t-il à Nicole sur un ton redevenu calme.

Elle indiqua l'entrée d'un geste de la main.

— Là-bas, dit-elle.

Ida sortit un gâteau aux amandes du four et leur demanda aimablement :

— Voudriez-vous prendre une tasse de thé avant de partir ?

— Non merci, Ida, répondit Lang, et Nicole repoussa aussi la proposition avec un gentil sourire.

Pour rendre son refus un peu moins sec, Lang ajouta :

— Je préfère rentrer au plus vite.

— Ah oui, je comprends, à cause de votre vache, répondit Ida.

Elle esquissa une moue songeuse.

— Vous deviez avoir une raison bien importante pour quitter l'une de vos bêtes en un moment critique.

— Très importante, accorda-t-il.

Il avait parfaitement perçu la curiosité derrière la remarque en apparence ingénue de la demoiselle, mais il feignit de l'ignorer.

Ida se résigna de bonne grâce à ne pas en apprendre davantage et elle souhaita très aimablement une bonne route à Lang et à Nicole. Elle les accompagna jusqu'au portail du jardin et agita la main jusqu'au moment où ils disparurent au coin de la rue.

— Alors, que pensez-vous des sœurs Guthrie ? demanda Lang à sa compagne tandis que la voiture s'engageait dans la rue principale de Nullegai.

— Elles sont charmantes, répondit Nicole.

A la recherche d'un sujet de conversation anodin, elle enchaîna :

— Les connaissez-vous depuis longtemps ?

— Depuis toujours. Leur père possédait le domaine contigu au mien. Lorsqu'il est mort, il y a cinq ans, Ida et Ivy sont venues s'installer en ville.

— Elles ne se sont jamais mariées ?

Lang secoua la tête.

— La Seconde Guerre mondiale leur a pris leurs

fiancés. Celui d'Ivy est mort en Afrique du Nord, et celui d'Ida a disparu en Nouvelle-Guinée.

— Comme c'est triste! lança Nicole. A les voir, on ne dirait jamais que leur existence a été bouleversée par de telles tragédies.

— Ces événements remontent à de longues années en arrière et, comme je vous l'ai expliqué à Sydney, le chagrin s'estompe avec le temps.

Lang coula à Nicole un regard de côté et l'éclat doré de ses yeux l'éblouit un instant.

— D'ici quelques mois, vous aurez sûrement complètement oublié le... Comment s'appelle-t-il? Ah oui, le fameux Julian!

Cette intrusion dans sa vie privée déplut souverainement à la jeune fille. Elle releva le menton d'une manière agressive.

— Vous vous trompez, fit-elle sèchement. J'ai au contraire la ferme intention de ne pas oublier Julian. Ainsi, je ne commettrai plus jamais l'erreur de faire confiance à un homme.

— Comme vous y allez! Parce qu'un homme vous a déçue, vous condamnez d'avance tous les autres! Vous ne voulez plus courir aucun risque, n'est-ce pas?

Son ton était légèrement moqueur et il ajouta:

— Qui aurait cru que la petite Miss Lockwood manque à ce point de courage?

Nicole fit presque un bond sur son siège et se tourna vers son interlocuteur.

— Je ne suis pas la « petite » Miss Lockwood et je ne manque pas de courage! répliqua-t-elle violemment. Sachez seulement que je ne veux plus tomber dans le piège des mots tendres qui ne veulent rien dire. J'ai perdu mes illusions et croyez-moi, personne ne se moquera plus jamais de moi!

De plus en plus ironique, Lang éleva de nouvelles objections contre les propos de la jeune fille:

— Quelle réaction exagérée! Vous êtes trop orgueilleuse pour admettre que vous êtes passée d'un extrême à l'autre. Les hommes ne sont pas tous des menteurs et vous le savez très bien. Je vous conseille de ne pas clamer vos grandes résolutions sur les toits... car vous pourriez bien rencontrer un homme désireux de relever le défi.

— Quel défi ?

Les lèvres de Lang esquissèrent un sourire.

— Celui que vous lancez si imprudemment en vous prétendant désormais inaccessible. Ne vous rendez-vous pas compte que vous donnez à tout homme un peu combatif le désir de vaincre vos réticences ?

Nicole laissa échapper une exclamation dédaigneuse :

— Je n'ai peur de personne.

— Quelle assurance ! Vous vous surestimez peut-être ?

Lang lui lança un regard si plein d'audace et de provocation qu'elle rougit. Pourquoi se souvenait-elle juste à cet instant du contact de son corps chaud, de ses mains fermes sur elle, de la chaleur de sa peau bronzée contre sa joue, la nuit où elle avait cru rêver de Julian ? Elle secoua la tête comme pour chasser ces souvenirs importuns.

— Je suis absolument sûre de moi, soutint-elle.

— Et comment réagit Eric Nicholls ?

— Eric ? répéta-t-elle, surprise.

— Ne vous a-t-il pas constamment tenu compagnie durant cette première semaine ?

Comment Lang savait-il ce qui se passait à Nullegai alors qu'il vivait hors de la ville ? se demanda Nicole.

— Il a en effet passé beaucoup de temps avec moi, mais ce n'est pas moi qui l'y ai invité.

— Vous vous servez pourtant de lui, je suppose, fit Lang sur un ton assez méprisant. Sa présence à vos côtés fait croire aux autres hommes que vous n'êtes pas libre. Il sera flatté quand il s'apercevra qu'il joue le rôle d'un paravent.

— Oh, quelle idée ridicule ! s'écria-t-elle, furieuse d'avoir été si aisément percée à jour. Je n'ai pas besoin de me cacher derrière quelqu'un ! Les hommes ne m'intéressent pas. Je ne vous ai pas dit qu'ils m'effrayent !

— Peut-être, mais vous craignez de vous engager envers l'un d'eux, n'est-ce pas ?

Excédée, Nicole pinça les lèvres et, au lieu de répondre, elle regarda le paysage défiler rapidement derrière la vitre. Elle découvrit des champs immenses où mûrissaient des épis de blé, d'avoine et d'orge. Dans l'herbe ravivée par les pluies de printemps paissaient des vaches au poil luisant et des moutons à l'épaisse toison de laine. La route goudronnée sur laquelle ils roulaient traversait la campagne en ligne droite. Elle s'étendait ainsi jusqu'à l'horizon scintillant. Comme Lang, songea la jeune fille, elle ne déviait pas, elle ne fléchissait pas, elle suivait infailliblement la direction fixée.

A cette pensée, elle se tourna de nouveau pour affronter son redoutable compagnon. Un sourire provocant aux lèvres, elle lança :

— Et même si je craignais de m'engager, cela ne vous regarde pas le moins du monde ! Mais votre orgueil d'homme vous empêche peut-être d'admettre qu'une femme puisse rester insensible aux avances masculines ?

Lang accueillit cette supposition avec un sourire étrange, très lent, et le cœur de Nicole se mit inexplicablement à battre plus fort.

— Cela dépend peut-être de l'homme qui fait ces avances, vous ne croyez pas ? s'enquit-il.

Nicole baissa les yeux sur ses poings serrés. Il avait suffi d'un sourire pour lui démontrer combien sa résistance au charme masculin était faible. Si Lang n'avait pas cessé de l'observer pour reporter son attention sur la route, elle n'aurait sans doute pas trouvé l'audace de répliquer avec un semblant de conviction :

— Tous les hommes se ressemblent, vous savez ! Ils sont tous capables de mentir, serait-ce par omission, lorsque cela les arrange.

Lang comprit aussitôt de quelle omission elle parlait, mais il ne se démonta pour autant. Au contraire, à son grand mécontentement, Nicole le trouva plus amusé qu'embarrassé.

— Je n'aurais jamais cru que vous attachiez tant d'importance à un simple nom, fit-il en riant.

— Oh, il ne s'agit pas de n'importe quel nom ! rétorqua-t-elle. Il s'agit du vôtre, de celui du président du Club de natation. Vous vous doutiez bien que je n'aurais pas accepté ce poste si j'avais connu ce détail !

Il haussa les sourcils avec ironie.

— Dire que vous faites toutes ces histoires à cause des circonstances dans lesquelles nous avons fait connaissance ! Etes-vous toujours vexée ?

Une nouvelle rougeur envahit les joues de Nicole et elle s'empressa de nier sur un ton indigné :

— Je ne suis pas vexée !

Lang lui jeta un regard si sceptique et moqueur qu'elle rectifia légèrement ses propos sans pouvoir cacher la confusion que lui causaient ses souvenirs :

— J'ai... j'ai été un peu choquée... bien sûr, mais ce n'est pas pour cette raison que j'aurais refusé.

— Pour quelle raison alors ? demanda-t-il avec une douceur persuasive.

— N'est-ce... n'est-ce pas évident ? balbutia-t-elle alors qu'un grand vide se faisait soudain dans son esprit.

Elle ne savait plus elle-même pourquoi elle aurait refusé ce poste si elle avait su que Lang présidait le Club de natation. Quelle raison inventer ? Pouvait-elle se prétendre mécontente parce que Lang était au courant de la trahison de Julian ? Pouvait-elle lui dire aussi qu'elle n'avait pas apprécié la manière dont il avait profité de son désespoir pour l'attirer à Nullegai où il avait besoin d'un professeur de natation ? Ou alors lui avouerait-elle qu'elle avait été terriblement troublée en se réveillant dans ses bras, et qu'en cet instant même elle était tout aussi troublée ?

Finalement, elle se borna à déclarer :

— Le président d'un club de natation et le professeur sont censés travailler main dans la main et nous... Il se trouve que nous avons du mal à nous entendre.

Lang dépassa tranquillement un camion et attendit de s'être rabattu pour lancer sur un ton désinvolte :

— Que suggérez-vous dans ces conditions ? Si vous étiez capable de séparer vos sentiments personnels de votre métier, le problème ne se poserait pas à mon avis.

Qu'insinuait-il ? Considérait-il Nicole comme la seule responsable du climat hostile qui régnait entre eux ? Cette idée la contraria vivement.

— Je ne suggérais rien du tout, rétorqua-t-elle avec raideur. Je me contentais de faire remarquer que si vous aviez tout de suite dit la vérité, nous ne serions ni l'un ni l'autre dans cette situation pénible. Nous ne serions pas contraints de nous rencontrer alors que notre intérêt nous commande plutôt de nous éviter.

— Et si vous n'aviez pas décidé de reporter sur tous les hommes la faute d'un seul, vous ne vous seriez pas tant formalisée de mon omission, contre-attaqua-t-il brutalement. Je sais pourquoi vous vous montrez désagréable avec moi. Vous n'admettez pas que je ne vous prenne pas en pitié. Votre petite fierté est blessée.

— C'est faux ! s'écria-t-elle en le foudroyant du regard. S'il y a une personne au monde dont je n'attends et ne veux aucune pitié, c'est bien de vous !

— Je suis ravi de l'apprendre, déclara-t-il sur un ton sarcastique. Vous avez une bonne occasion de le prouver. Conduisez-vous de manière à ce que nous puissions travailler ensemble pour le développement du club.

En cet instant, Nicole aurait accepté de traverser le feu si cela lui avait permis de convaincre son interlocuteur qu'elle ne souhaitait ni sa pitié ni sa compréhension.

— Vous pouvez compter sur moi, s'empressa-t-elle de promettre. Je me ferai un plaisir de vous démontrer que vous vous faites des idées.

Ah oui, elle lui démontrerait qu'il avait tort, même si cela devait lui coûter jusqu'à sa dernière parcelle d'énergie !

Le silence s'installa pendant un petit moment dans la voiture. Nicole contempla de nouveau le paysage par la vitre. Il réveilla des images enfouies très loin au fond de sa mémoire, des images datant de son enfance, avant la mort de sa mère, alors qu'elle vivait encore à la campagne. Le paysage n'était cependant pas le même. Son père avait travaillé dans un domaine proche de la mer, dans une région plus rocheuse à la végétation très dense. Les odeurs que la brise charriait à l'intérieur du véhicule coïncidaient davantage avec ses souvenirs, et elles faisaient vibrer d'une manière émouvante les cordes de sa mémoire.

Soudain, Lang quitta la grande route pour s'engager sur une voie secondaire. Des oiseaux s'envolèrent à l'approche de la voiture. les champs qui s'étendaient à perte de vue annonçaient une récolte magnifique. En considérant les épis de blé encore un peu vert, elle ne résista pas à la tentation de faire de l'humour :

— Il y a beaucoup de gâteaux en puissance ici !

Par cette remarque, elle espérait aussi détendre l'atmosphère qui s'était installée entre Lang et elle sur la route de Yallambee.

— Je ne crois pas, fit-il sèchement.

— Ah ! Pourquoi ? s'enquit Nicole, à la fois étonnée

par cette réponse et déçue de ne pas avoir réussi à dérider son interlocuteur.

Comme il n'y avait pas de circulation sur cette route, il put tourner son visage vers elle et la regarder à loisir. Cet examen attentif la plongea dans une confusion qu'elle dissimula de son mieux.

— Parce que ce blé n'est pas destiné à cet usage, expliqua-t-il. Il en existe plusieurs sortes, différentes selon les régions.

— Convient-il pour faire du pain ? questionna-t-elle alors, décidée à s'instruire, même si en échange, Lang devait s'amuser à ses dépens.

Cette fois, il hocha la tête en signe d'assentiment.

— Oui, du pain de grande qualité, ainsi que des pâtes et de la semoule.

La conversation resta encore quelques minutes axée sur le blé, et les connaissances de Nicole s'enrichirent considérablement quant à cette céréale. Un peu honteuse de son ignorance, elle se laissa finalement aller en arrière contre le dossier de son siège et demanda pour changer de sujet :

— Sommes-nous encore loin ?

— Non, répondit Lang.

De la main, il désigna les cultures qui occupaient de grands espaces à leur droite :

— Ces terres font déjà partie de Yallambee.

Nicole se retint juste à temps de manifester sa curiosité et ne réagit pas. Elle ne voulait pas montrer à Lang combien elle s'intéressait au domaine dont on parlait avec tant d'admiration à Nullegai. Non, elle ne lui ferait pas ce plaisir. Elle ne parvint toutefois pas à cacher l'éclat de son regard tandis qu'elle découvrait Yallambee. A son grand mécontentement, elle était très impressionnée.

Le domaine semblait sans limites. Nulle maison n'apparaissait à l'horizon, et les prairies du bétail n'étaient pas en vue non plus. La curiosité de Nicole ne cessait d'augmenter et elle la contint de plus en plus difficilement pendant le quart d'heure suivant.

La maison se dressa enfin devant elle au moment où ils venaient de passer sur un pont ombragé par des eucalyptus, qui enjambait une rivière aux eaux cristallines. Nicole s'estima amplement récompensée de son attente, mais elle se garda bien de montrer son émerveillement. La demeure de deux étages, construite dans un style plus méditerranéen que colonial, s'élevait au milieu des arbres, dans un jardin éblouissant de couleurs. La façade du rez-de-chaussée formait des arcades sous la terrasse à colonnes du premier étage.

Au lieu de suivre l'allée qui menait à l'entrée de sa maison, Lang prit un petit chemin à droite, à travers les jardins, et se dirigea vers une coquette construction en bois entourée de pelouses et d'une clôture blanche. Malgré la courte distance, la maison de Lang avait disparu derrière les arbres et les fourrés, et Nicole ne put retenir une exclamation :

— Vous ne vivez sûrement pas tout seul là-bas !

Il lui était impossible d'imaginer une personne solitaire dans une demeure aussi immense.

— Pas tout à fait, reconnut Lang avec une expression malicieuse, et il laissa planer un petit silence avant d'expliquer : ma femme de ménage et son mari occupent un appartement à l'arrière de la maison. Certains domestiques célibataires prennent leurs repas chez moi et j'ai aussi de nombreux frères et sœurs qui envahissent régulièrement Yallambee avec leurs rejetons.

— On dirait que vous n'aimez pas les enfants, observa Nicole sur un léger ton de reproche.

— Oh, je les aime... quand ils sont sages ! rétorqua-t-il en s'arrêtant devant la maisonnette. Mais je suis d'une famille de neuf enfants, dont trois paires de jumeaux, et le nombre de mes neveux et nièces doit tourner en ce moment autour de dix-sept. Et ils n'ont pas encore atteint l'âge de raison. Quand ils débarquent tous ensemble, imaginez le résultat !

Un sourire de défi se dessina sur ses lèvres et il ajouta :

— Attendez Noël et vous jugerez par vous-même !

— C'est inutile, déclara Nicole.

Habituée à travailler avec des enfants, elle se représentait parfaitement la scène. Lorsque Lang lui ouvrit la portière, une question lui échappa :

— Vous n'avez pas de frère jumeau, n'est-ce pas ?

Elle descendit de voiture avec une expression songeuse. Etonné, il répondit un peu sèchement :

— Qu'est-ce qui vous permet de le dire ?

— Je ne peux pas vous imaginer en double exemplaire ! lança-t-elle.

Sans laisser à Lang le temps de réagir, elle courut vers son père qui se tenait à la porte de sa maison. Elle aurait pu se montrer moins provocante, mais Lang se trompait s'il comptait sur un changement de conduite de sa part en privé. Pour faciliter leurs rapports professionnels uniquement, Nicole consentirait en temps utile à mettre un frein à son hostilité. Et pourtant, celle-ci était restée aussi vive qu'au premier jour !

Profitez de cette offre unique pour découvrir le monde merveilleux de l'amour.

Plongez au coeur des plus intrigantes et passionnantes histoires d'amour. Découvrez dans chacun des romans une héroïne semblable à vous. Par la magie de ces récits, vous entrerez dans la peau du personnage et serez transportée dans des pays inconnus. Vous rencontrerez des étrangers séduisants et fascinants. Profitez de l'offre des 4 nouveaux volumes gratuits pour découvrir ce monde excitant. Vous recevrez ensuite 6 volumes par mois. Ainsi, comme des milliers de femmes, vous vous délecterez et attendrez, chaque mois, avec impatience vos 6 nouveaux volumes de la superbe Collection Harlequin.

La Collection Harlequin
Les plus belles histoires d'amour, au monde.

Commencez votre Collection Harlequin avec ces 4 nouveaux volumes gratuits.

(valeur de 7$)

GRATUITS: D'OMBRE ET DE LUMIÈRE de Violet Winspear. Ombre du désaccord, lumière de l'amour, c'est la pénible alternance pour Dominique et Paul, en leur lutte contre la mort qui menace tout espoir. **L'AUTRE MOITIÉ DE L'ORANGE** d'Anne Weale. Comment oublier un premier et grand amour tragiquement terminé? Comment échapper à la domination d'une tante abusive? Antonia épouse Carl…**SOUS LE VOILE DU DÉSIR** de Charlotte Lamb. Qui est Rachel Austen? se demande Mark Hammond. Une aventurière, une fille facile malmenée par la vie? Pourquoi s'enfuit-elle aux Bahamas? **IL EST TEMPS DE RENAÎTRE** de Flora Kidd. Parce que celui qu'elle avait tant aimé a besoin d'elle, Kathryn accepte d'aller le retrouver. Mais si elle s'était imaginée capable de le revoir sans trouble, c'est qu'elle se connaît encore mal…

- -

Voici votre cadeau.

D'ombre et de lumière de Violet Winspear

L'autre moitié de l'orange d'Anne Weale

Sous le voile du désir de Charlotte Lamb

Il est temps de renaître de Flora Kidd

Offre gratuite

Harlequin, les romans que l'on dévore.

4

— Bonjour, ma chérie ! lança Bryce en prenant sa fille dans ses bras et en l'embrassant affectueusement. Je suis désolé de ne pas avoir pu venir te chercher, mais les animaux bouleversent parfois les projets des hommes. Lang t'a-t-il expliqué ?

— Il m'a dit qu'une vache avait des difficultés à mettre bas, répondit-elle. L'opération s'est-elle bien passée ? Le petit veau est-il né à présent ?

— Il est finalement passé comme une lettre à la poste, fit-il avec un sourire de soulagement. Il se présentait à l'envers et nous avons heureusement pu le redresser. Tout est bien qui finit bien.

Le regard de Bryce se posa sur Lang qui arrivait derrière Nicole avec sa valise.

— J'ai le plaisir de vous apprendre que Sable a mis un beau mâle au monde une heure à peine après votre départ, lui annonça-t-il.

Lang manifesta une satisfaction évidente :

— Mes félicitations, Bryce, vous avez fait du bon travail. Je regrette d'avoir dû vous abandonner avec ce problème, car il ne s'agit pas d'une affaire aussi aisée que vous essayez de le faire croire à votre fille. Je vais tout de suite aller voir la maman et son petit.

— Je vous accompagne, déclara Bryce. Et toi, Nicole, as-tu envie de les voir ?

Son désir d'échapper à Lang, dont la présence lui mettait les nerfs à rude épreuve, était encore plus grand. En conséquence, elle sauta sur l'occasion et secoua la tête en feignant le regret :

— J'irai peut-être les voir plus tard. Pour le moment, je préférerais m'installer et prendre une boisson bien fraîche.

— Comme tu voudras, accorda gentiment Bryce.

Il s'effaça pour laisser sa fille pénétrer à l'intérieur de la maison et déchargea Lang de la valise qu'il déposa dans l'entrée.

— Je ne tarderai pas à revenir, ajouta-t-il.

— Ne te presse pas. Je commencerai à préparer le déjeuner en t'attendant, affirma-t-elle avec un sourire.

Lang n'avait même pas pris la peine d'avancer dans l'entrée. Il attendait dehors, ne désirant apparemment pas davantage que Nicole la prolongation de leur entrevue.

— A plus tard ! lança-t-il d'une manière désinvolte en se contentant d'incliner vaguement la tête en guise de salut.

— A plus tard, répondit-elle sur le même ton. Et... merci de m'avoir conduite jusqu'ici.

— Il n'y a pas de quoi, répondit-il.

Nicole comprit qu'il n'aurait jamais rendu ce service à son père s'il avait dû s'écarter ne serait-ce que d'un kilomètre de sa route pour aller la chercher. S'il n'avait tenu qu'à lui, Nicole aurait bien pu rester à Nullegai jusqu'à ce que Bryce fût en mesure de s'y rendre lui-même.

Dès que les deux hommes furent partis, la jeune fille accrocha les quelques vêtements qu'elle avait emmenés dans la penderie. La chambre qui lui était destinée était petite mais confortable, et il n'y manquait rien. Elle explora ensuite le reste de la maison, terminant par la cuisine où elle se servit à boire.

En dégustant la limonade glacée sortie du frigidaire,

elle conclut que l'endroit, malgré sa simplicité, était agréable à vivre. Son père s'y sentait sûrement à son aise. Quant à elle, elle appréciait particulièrement cette cuisine, grande pièce lumineuse, peinte en jaune et en blanc, dotée de nombreux meubles de rangement et d'un matériel très moderne. D'immenses fenêtres surmontaient l'évier et le plan de travail, permettant à la personne qui préparait le repas ou faisait la vaisselle, de contempler en même temps une vue magnifique de la propriété.

En examinant le contenu du garde-manger, Nicole esquissa une grimace soucieuse. Les réserves de conserves qu'elle avait constituées pour son père avant leur départ de Sydney étaient intactes. Bryce n'y avait pas touché. Les légumes qu'elle l'avait aussi incité à acheter en arrivant à Nullegai étaient de même restés dans le frigidaire.

De plus en plus inquiète, Nicole se souvint qu'à Sydney, Cynthia ou elle-même se chargeaient depuis longtemps de faire la cuisine. Seul à présent, son père ne prenait pas la peine de se nourrir correctement. La jeune fille décida d'aborder ce problème avec lui.

Par chance, la plupart des légumes s'étaient bien conservés et, pour commencer, Nicole s'efforça de préparer un repas très appétissant. Elle trouva à sa grande surprise du pain bien frais, et supposa que la servante de Lang devait en cuire elle-même. Elle était en train de couper des tranches croustillantes lorsque son père revint.

— Mmm, tu as bien travaillé! approuva-t-il en pénétrant dans la cuisine où l'attendait une délicieuse salade composée et une table bien mise. Croyais-tu que Lang allait déjeuner avec nous?

Nicole ouvrit de grands yeux et protesta vigoureusement contre cette idée :

— Non, c'est pour toi que j'ai fait cela! Etant donné tout ce que j'ai trouvé dans le frigidaire et dans le garde-manger, je parie que tu t'es laissé mourir de faim pendant toute la semaine.

— Mourir de faim !

L'espace d'une seconde, Bryce parut décontenancé par cette réflexion, puis il éclata de rire.

— Non, ma fille, il ne faut pas te fier aux apparences. J'ai très bien mangé tous ces derniers jours à la table de Lang. Je n'ai absolument pas eu besoin d'entamer mes provisions.

Nicole poussa un soupir de soulagement, puis un autre sentiment, beaucoup moins pacifique, s'empara d'elle la seconde suivante :

— Je suis ravie d'apprendre que tu as bien mangé, mais est-il vraiment nécessaire que tu ailles chez Lang ? N'est-ce pas un peu trop ? Il ne se contente pas de te loger, il te nourrit aussi ! Je sais que M. Jamieson possède le plus grand domaine de la région ! fit-elle ironiquement.

En longeant Yallambee en voiture, elle avait dû admettre que les gens de Nullegai n'en exagéraient pas l'importance.

— Mais Lang n'est que ton employeur ! poursuivit-elle sur un ton furieux. Il n'est pas un seigneur du Moyen Age qui règne en maître absolu sur ses terres !

— Toi, en tout cas, répliqua Bryce, tu continues à reporter sur lui toute la rancune que t'a inspirée Julian.

Il semblait contrarié, presque fâché. Nicole ne l'avait jamais vu si mécontent à cause d'elle.

— Je mange chez Lang selon une pratique courante dans cette région. Les employés, quel que soit leur grade, prennent leurs repas chez le propriétaire du domaine. Lang n'exerce aucune pression sur personne ici, et je suis entièrement libre de mes actes, contrairement à ce que tu as l'air d'insinuer.

Désireuse de redresser la situation, Nicole s'écria :

— Oh papa, je me suis laissé emporter ! Je...

— Que souhaiterais-tu ? lança Bryce, nullement

calmé. Pour te faire plaisir, je ne devrais sans doute même pas recevoir d'ordres de mon patron!

— Mais non, je n'ai jamais rien prétendu de tel, je...

Haussant les épaules, elle renonça à terminer sa phrase. Cette conversation ne rimait à rien.

— Papa, je t'en prie, ne nous querellons pas! Je suis désolée de m'être emballée sans raison, restons-en là, s'il te plaît.

— Tu avais une raison : tu ne manques pas une occasion de tenir des propos désagréables à l'égard de Lang.

— Je l'avoue, fit-elle avec un petit rire plein de malice.

— Mais pourquoi, Nicky?

— Je ne sais pas vraiment pourquoi. Peut-être parce qu'il me rappelle Julian.

— Il te rappelle Julian! Mais il ne lui ressemble pas du tout! s'exclama Bryce.

— Ce n'est pas dans ce sens-là que je le disais.

— Ah bon! lança-t-il un peu ironiquement. Tu me rassures!

— Non, expliqua-t-elle, il ne lui ressemble pas, mais il était chez nous à Sydney le jour où je venais d'apprendre la trahison de Julian.

— Moi aussi, j'étais là, déclara Bryce, visiblement surpris par cette remarque. Ma vue ne te rappelle pourtant pas ce triste événement.

— Ce n'est pas la même chose. Il était normal que tu connaisses tous les détails de ma mésaventure. J'accepte mal au contraire qu'un étranger soit au courant de ce qui m'est arrivé.

Une expression douloureuse passa sur son visage. Au lieu de s'apitoyer sur elle, son père ne put réprimer un sourire.

— Est-ce vraiment un motif suffisant pour te dresser à ce point contre Lang?

De toute évidence, il en doutait, et Nicole reconnut

en son for intérieur que cette explication n'était pas entièrement satisfaisante. Elle n'avait toutefois pas l'intention de révéler à son père les sentiments qui l'animaient, des sentiments d'ailleurs confus, mêlés, incompréhensibles. En guise de réponse, elle haussa les épaules d'une manière évasive qui ne signifiait ni oui ni non et, pour clore le sujet, elle proposa :

— Si tu es prêt, nous allons passer à table.

Pendant le repas, ils parlèrent à bâtons rompus. Bryce questionna beaucoup sa fille sur la vie qu'elle menait à Nullegai. Quand Nicole se leva pour faire le café, il commença à débarrasser la table.

— C'est pratique pour toi de prendre tes repas là-bas, fit-elle en ébauchant un signe en direction de la maison de Lang.

Elle n'avait pas pu s'empêcher de revenir sur ce sujet, et son père répliqua sur un ton légèrement amusé :

— Je t'ai dit que c'était l'usage dans les exploitations de cette région. Les employés qui vivent seuls ont une place réservée à la table du propriétaire.

— Comme c'est gentil de sa part ! lança-t-elle avec ironie.

Comme son père ne semblait pas goûter ce nouveau trait d'humour mêlé d'agressivité, elle se reprit :

— Je suis contente de savoir que tu n'as pas besoin de te soucier de préparer tes repas.

— Tant mieux, approuva-t-il d'un air bizarre. Il faut maintenant que je t'annonce une mauvaise nouvelle.

Immédiatement en alerte, Nicole fronça les sourcils.

— Quelle mauvaise nouvelle ?

— J'ai invité Lang à dîner avec nous ce soir.

— Oh papa, s'écria la jeune fille, horrifiée, pourquoi as-tu eu une telle idée ?

— Jessie Verdon, sa cuisinière, n'étant pas là ce soir, j'ai pensé que c'était la moindre des choses. En outre, je croyais que la ridicule hostilité qui règne entre vous aurait disparu.

Nicole ne releva pas la critique implicite contenue dans ces propos. Des questions plus pressantes appelaient son attention :

— Les autres hommes qui prennent leurs repas chez lui vont bien dîner quelque part. Pourquoi ne va-t-il pas avec eux ? Ou alors, demanda-t-elle avec une soudaine ironie, à part lui et nous, n'y aura-t-il plus personne à Yallambee ce soir ? Cela m'étonnerait !

— Non, Alan et Sandy, deux employés mariés seront là aussi, et je suis sûr que leurs femmes ne demanderaient pas mieux que d'inviter Lang à dîner chez elles.

— Alors pourquoi ne l'ont-elles pas fait ?

— Avant qu'il propose de te ramener à Yallambee, tout le monde croyait qu'il passerait son samedi soir à Nullegai comme tous les célibataires, expliqua Bryce. Il ne rentre pas d'ordinaire.

Il passait sûrement ses week-ends avec la riche Eunice Blanchard, songea Nicole, éprouvant malgré elle une pointe de jalousie. Elle regrettait pourtant qu'il eût changé ses habitudes. Si seulement quelqu'un avait devancé l'invitation de son père ! Elle servit le café sans cacher sa mauvaise humeur.

— Eh bien, j'espère qu'il ne s'attend pas à un festin ! déclara-t-elle après un long silence. Je n'ai pas l'intention de passer l'après-midi dans la cuisine en l'honneur de M. Lang Jamieson.

— Nicky !

L'intonation contenait une menace.

— Inutile de te mettre en colère, personne ne t'en demande autant. J'ai pensé que le plus simple serait de faire un rôti, et Jessie m'a sorti de la viande du congélateur avant de partir.

Nicole accueillit cette nouvelle avec soulagement. Dans ces conditions, le repas ne lui donnerait pas beaucoup de mal. Elle préparerait des légumes pour accompagner le rôti, et le tour serait joué.

Bryce s'éclaircit la voix avant de prononcer des paroles qui, il le pressentait, allaient susciter une vive réaction chez sa fille :

— Jessie m'a aussi dit que si tu avais besoin de quoi que ce soit, tu pouvais te servir librement dans sa cuisine.

— Comment ? Dans la cuisine de Lang ? s'écria-t-elle. Certainement pas ! Si cette pièce est à l'échelle de la maison, je risquerais de m'y perdre !

— Tu plaisantes !

Nicole leva des yeux étincelants par-dessus sa tasse et au bout de quelques instants, elle éclata d'un petit rire nerveux.

— Tu as un bien curieux comportement, ma fille. Méfie-toi de ne pas tomber dans ton propre piège. Si Lang décidait de te faire payer toutes tes insolences, je crois que tu passerais un mauvais quart d'heure... et tu le mériterais !

Nicole pointa le menton en avant en signe de défi.

— Je saurais me défendre, crois-moi !

— Tu es peut-être têtue, Nicky, mais jusqu'à maintenant, je ne te jugeais pas stupide. Tu me déçois, reprocha Bryce à sa fille.

— Il ne faut pas transformer cette affaire en drame, fit-elle en s'efforçant de paraître très sûre d'elle.

Elle porta sa tasse vide jusqu'à l'évier.

— Pendant que je fais la vaisselle, voudrais-tu aller chercher des fruits pour moi dans la cuisine de Jessie ?

Bryce lui apporta aussi sa tasse et lui donna au passage une affectueuse bourrade.

— Après tout ce que tu m'as dit, je n'ose pas te pousser à y aller toi-même ! Peut-être vaut-il mieux que vous vous voyiez le moins possible, Lang et toi.

— Enfin, tu as compris ! lança-t-elle en laissant

échapper un soupir théâtral. Je savais bien que tu finirais par te ranger à mon point de vue !

— Pas entièrement, rectifia-t-il fermement. N'oublie pas que Lang est mon patron. Contrairement à ce que tu sembles penser, je veillerai à ce que tu lui témoignes un certain respect.

Nicole esquissa une grimace pour feindre la déception.

— Je n'en attendais pas moins de toi, avoua-t-elle.

Elle avait fini la vaisselle lorsque Bryce revint de la maison de Lang. En voyant tous les fruits qu'il lui ramena, elle se promit de remercier la généreuse Jessie dès qu'elle la rencontrerait. Outre les fruits, elle avait déjà préparé la viande, ainsi que les légumes destinés à l'accompagner. Il ne restait plus qu'à mettre le tout à cuire. Les pommes de terre, les jeunes carottes, les petits pois et les haricots verts étaient prêts.

Nicole mit immédiatement la viande au four et alla se changer. Aimant les tenues décontractées, elle se vêtit avec plaisir d'un jean et d'un chemisier rouge vif sans manches. Puis elle se chaussa d'espadrilles et rejoignit son père dans le salon. Elle s'était aussi munie d'un chapeau et de lunettes de soleil afin de pouvoir se promener dans la propriété.

Comme ils disposaient d'un temps assez limité, Bryce proposa à sa fille de partir en moto. La jeune fille monta derrière son père. Clark Rutherford, le mari de sa sœur Cynthia, possédait aussi une moto et il l'avait souvent emmenée pour des sorties dont elle gardait un excellent souvenir.

Leur premier arrêt eut lieu non loin de la maison de Bryce, dans un petit enclos où il avait installé Sable et son veau. Le jeune animal somnolait dans l'herbe, réchauffant son pelage noir et bouclé au soleil ! L'une de ses oreilles ne cessait de remuer pour chasser une mouche obstinée.

— Oh papa, comme il est mignon ! s'exclama Nicole

en tombant à genoux auprès du petit corps qu'elle se mit à caresser.

— Comment s'appelle-t-il ? Lui avez-vous donné un nom ?

Tout en regardant Sable qui observait leurs faits et gestes de ses grands yeux bruns, Bryce s'accroupit à côté de sa fille.

— Il recevra un nom car il est racé, déclara-t-il. Il s'appellera sans doute Yallambee Jupiter, comme son père.

— Grands dieux ! Moi qui le prenais pour un simple petit veau ! plaisanta Nicole. Je ne songeais pas à un nom aussi pompeux. Je pensais qu'il aurait un titre plus modeste.

— Quand il sera adulte, tu verras que celui-ci lui convient parfaitement. Il ne restera pas longtemps aussi mignon. Un jour, il pèsera plus d'une tonne, ne l'oublie pas !

Nicole hocha la tête en considérant le corps tranquillement allongé dans l'herbe avec une nouvelle admiration. D'ici deux ans, il serait sûrement beaucoup plus fort que sa mère. Celle-ci s'était approchée de lui pour le lécher, sans se douter qu'elle aurait un jour l'air d'une naine à côté de lui.

Nicole se remit debout avec souplesse et, en essuyant son jean, elle demanda à son père :

— Où allons-nous maintenant ?

— Dans cette direction, répondit-il.

Tandis qu'ils revenaient vers la moto, il lui indiqua des terres qui ondulaient doucement jusqu'à une ligne de collines.

— J'en profiterai pour contrôler le niveau d'eau dans les abreuvoirs.

— Je croyais que tu avais fini ton travail pour aujourd'hui ! s'écria-t-elle sur un ton choqué.

— J'ai fini si l'on veut. Les soins exigés par les

74

animaux ne me permettent pas d'avoir des horaires de bureau, ma chérie.

Nicole n'y avait pas songé, et elle inclina la tête pour montrer qu'elle avait compris.

— Je ne pensais tout de même pas que le contrôle de l'eau faisait partie de ton travail.

— Ce n'est pas vraiment mon travail, mais je suis responsable si les abreuvoirs sont vides. Je ne les remplis pas, je les surveille, saisis-tu la différence ?

Elle venait de monter derrière lui sur la moto et il lui jeta un sourire par-dessus son épaule.

— Pour tout te dire, je contrôle les abreuvoirs tous les matins. Et comme nous passons par là, j'ai pensé que je pouvais y jeter un coup d'œil supplémentaire.

Elle retrouvait bien là son père. Il n'y avait pas homme plus consciencieux que lui, on pouvait lui faire confiance. Et si en outre, il aimait son travail comme c'était le cas depuis qu'il était revenu à la campagne, il ne craignait pas de s'y consacrer même pendant les week-ends.

Bryce avait été bien inspiré, et son inspection se révéla utile. Un veau s'était enlisé dans la boue qui entourait les réservoirs d'eau creusés dans la terre. Il s'était tellement épuisé à se débattre qu'il fut à peine capable de tenir debout quand Bryce le délivra. S'il était resté dans cette posture jusqu'au lendemain matin, on l'aurait probablement trouvé mort.

Les terres que Nicole visitait à présent différaient complètement de celles qu'elle avait vues en arrivant en voiture. Des collines boisées remplaçaient les champs de céréales. Dans les cuvettes, des kangourous et des émeus vivaient en bonne entente avec les moutons et les vaches.

Le temps d'atteindre l'une des limites de l'immense domaine et de retourner vers la plate campagne, l'heure était venue de rentrer pour faire cuire les légumes du dîner. Ils regagnèrent la maison par le plus court chemin. Bryce déposa sa fille et partit encore inspecter les silos à grain. Lorsqu'il réapparut, Nicole l'accueillit d'un air satisfait.

— Le repas se présente bien, annonça-t-elle en observant son rôti par la vitre du four. Maintenant, il ne me reste plus qu'à ajouter les petits pois et les haricots quand je me serai douchée, et à préparer un...

Elle changea tout d'un coup d'expression et finit sa phrase sur un ton consterné :

— ... un dessert. Je n'ai pas pensé au dessert ! On ne peut pas se contenter d'offrir les fruits que tu as ramenés.

Elle jeta un regard suppliant à son père.

— Est-ce que tu as quelque chose dans ton garde-manger ? Je n'ai plus le temps de me lancer dans une recette compliquée.

Bryce haussa les épaules en un geste d'impuissance.

— Je te laisse regarder, tu t'y connais mieux que moi. Mais si tu ne trouves rien, ne t'inquiète pas. Lang s'estimera sûrement heureux avec de simples fruits.

Nicole n'était absolument pas d'accord. A quoi songeait son père ? Elle n'avait pas l'intention de donner à cet homme la moindre occasion de la critiquer. Il n'en était pas question !

Elle secoua la tête avec obstination et dans sa contrariété, elle ouvrit violemment la porte du garde-manger et se mit à fouiller sur les étagères d'une main impatiente, bousculant les boîtes. Elle poussa enfin un soupir de soulagement en découvrant une conserve de pêches au sirop et à la liqueur. Elle les avait achetées pour l'anniversaire de son père et, dans son affolement, elle en avait complètement oublié l'existence. Elle décida de les utiliser pour ce dîner qui sortait de l'ordinaire. Mais avec quoi pouvait-elle les servir ? Il fallait les agrémenter de quelque chose...

— A ton avis, Jessie a-t-elle de la crème fraîche dans

son frigidaire ? demanda-t-elle à son père. Cela m'arrangerait bien de lui en emprunter un peu.

Cette fois, son père réagit d'une façon plus compréhensive :

— S'il ne te manque que cela, aucun problème ! Sandy est probablement en train de traire les vaches. Je vais demander à sa fille aînée de t'en préparer. Je m'en occupe pendant que tu prends ta douche, d'accord ?

— Oh merci ! s'exclama Nicole, ravie de voir l'affaire se terminer aussi bien.

Bryce disparut sur un dernier sourire, et elle se dirigea, l'esprit tranquille, vers la salle de bains. Il avait fait chaud, et elle était revenue couverte de poussière de sa promenade en moto. Elle était impatiente de se rafraîchir.

Une fois sa douche prise, elle se sentit beaucoup plus à son aise, et elle se rendit dans sa chambre pour s'habiller. Là, de nouveaux problèmes se posèrent. Comme elle avait prévu de passer ce week-end en la seule compagnie de son père, elle n'avait pas pris la peine d'emporter de robe. Elle disposait seulement de celle qu'elle avait portée pour venir, et elle la jugea trop froissée pour la remettre ce soir. Avec un soupir et une grimace, elle considéra un bref instant le maigre contenu de sa penderie. Finalement, elle haussa les épaules devant un choix aussi limité et se résigna à enfiler un pantalon bleu marine avec un corsage blanc. Tant pis, elle ne possédait rien d'autre ici ! Sa tenue n'était pas à proprement parler élégante, mais elle ne pouvait pas faire mieux dans les conditions où elle se trouvait.

Elle se rattrapa sur le maquillage en avivant soigneusement l'éclat de ses yeux grâce à de l'ombre à paupières et du mascara. Puis elle passa du rouge à lèvres rose pâle sur sa bouche et une touche de fard sur ses joues. Ensuite, elle se consacra à sa coiffure, séparant ses cheveux par une raie au milieu et les repoussant derrière ses oreilles. Ils tombaient en mèches souples et soyeuses sur ses épaules. Le claquement de la porte d'entrée la surprit alors qu'elle se livrait à une dernière inspection de son apparence.

Elle quitta sa chambre et s'arrêta brutalement au seuil de la salle à manger. Lang s'y tenait avec son père. Elle ne s'attendait pas à le voir si tôt. Sa vue lui causa le même choc que lors de leurs deux précédentes rencontres. En l'espace d'une seconde, l'esprit de Nicole enregistra une multitude de détails. Lang portait un pantalon vert bouteille et une chemise beige en soie qui faisait ressortir le hâle de sa peau. Elle nota aussi les cheveux légèrement bouclés, le discret parfum poivré d'un après-rasage, le regard doré, très vif, et l'expression ferme de la bouche bien dessinée.

Nicole était incapable de détacher ses yeux de l'imposante silhouette du propriétaire de Yallambee. Son cœur battait à se rompre dans sa poitrine, et une étrange faiblesse lui coupait les jambes. « Mon Dieu, pensa-t-elle avec désespoir, je vais encore passer une terrible soirée ! »

Lorsqu'elle parvint enfin à murmurer un bonjour, sa voix tremblait d'une manière ridicule. Lang lui répondit sur un ton plutôt sec qui ne contribua guère à la réconforter, et elle s'avança dans la pièce à regret. Elle aurait mille fois préféré prendre la fuite.

— Ah, très bien, tu es prête ! s'exclama son père en l'entendant venir derrière lui.

Il était en train de sortir des verres du bar situé près d'une porte qui donnait directement dans la cuisine, facilitant le service. Il se tourna vers sa fille et déclara :

— Tu serais gentille de tenir compagnie à Lang pendant que je prends ma douche. Je l'ai rencontré chez Sandy et je lui ai proposé de venir directement ici avec moi.

En parlant, il prit des glaçons dans le seau à glace et les mit dans les verres.

— Ta crème fraîche est dans la cuisine, ajouta-t-il avec un sourire.

Nicole fit presque un crochet pour éviter de passer trop près de Lang, comme si elle avait peur de lui, et elle balbutia :

— Oh... merci, papa.

Puis elle courut vers l'évier de la cuisine où elle s'empressa de s'affairer afin de dissimuler sa confusion.

— Je vais mettre les petits pois et les haricots à cuire. Tout sera prêt quand tu reviendras de ta douche, expliqua-t-elle fébrilement.

— Parfait, répondit son père, très à l'aise, quant à lui.

Il ne se rendait apparemment pas compte de la nervosité inhabituelle de sa fille et, très tranquillement, il versa une bonne quantité de whisky sur les glaçons avant de tendre le verre à leur invité.

— Et toi, ma chérie, que prendras-tu ? Tu vas boire avec Lang, n'est-ce pas ?

— Donne-moi du madère, s'il te plaît, demanda-t-elle le plus naturellement possible.

Suivi de Lang, Bryce la rejoignit dans la cuisine et lui tendit son verre. Dès qu'elle fut en possession de sa boisson, elle en avala vite une gorgée. Le résultat ne fut pas des plus heureux. Elle éprouva aussitôt la même sensation de chaleur du côté de l'estomac que sur ses joues en feu.

Quand son père eut quitté la pièce, elle ne cessa pas de s'activer, surveillant le four, préparant des plats, et évitant surtout de regarder Lang. Elle finit tout de même par se décider à se tourner vers lui et déclara d'une voix mal assurée :

— Je vous prie de m'excuser, prenez donc un siège en attendant.

Elle lui désigna de la main les chaises qui entouraient la table.

— Mais vous préférez peut-être regarder la télévision dans le salon ?

Tout en lui montrant la pièce de l'autre côté de l'entrée, elle se rendit compte de l'inutilité de son geste. La maison appartenait à Lang, c'était lui qui l'avait aménagée, il savait sûrement où se trouvait le salon.

Lang vida lentement son verre, le posa sur la table, puis s'adressa à la jeune fille sur un ton sévère :

— Ecoutez, je sais que cette invitation ne vient pas de vous. Si cela peut vous consoler, je n'étais pas particulièrement enthousiaste en l'acceptant, mais je n'ai pas refusé par égard pour votre père. Mais si vous avez l'intention de vous conduire comme une hystérique toute la soirée, il vaut mieux que je reparte tout de suite, qu'en pensez-vous ?

— Oh non ! s'écria-t-elle, consternée, tandis qu'il faisait déjà un pas vers la porte.

Par réflexe, elle s'accrocha à son bras pour le retenir. Il fallait à tout prix l'empêcher de s'en aller. Jamais son père ne lui pardonnerait un incident de ce genre !

— Restez ! ordonna-t-elle.

Le mépris de Lang la stimulait bien mieux que l'alcool, et la colère montait en elle.

— Vous avez accepté cette invitation, il est trop tard pour changer d'avis. Je ne vous permettrai pas de vous servir de moi comme excuse.

— Vraiment ?

Un regard moqueur tint le sien en échec.

— Vraiment ! rétorqua-t-elle sans se laisser démonter.

Lang baissa intentionnellement les yeux sur la main de Nicole qui était restée agrippée à son bras.

— Avez-vous l'intention de recourir à la force pour m'empêcher de partir ? railla-t-il.

Sous l'effet de l'humiliation, les joues de la jeune fille s'empourprèrent. Elle relâcha le bras de Lang comme s'il s'était soudain transformé en bâton de dynamite.

— Pardonnez-moi, fit-elle d'un air complètement abattu.

Elle se voyait déjà dans l'obligation d'expliquer le départ de Lang à son père. Il n'accepterait pas de croire qu'elle n'y était pour rien cette fois-ci. Elle discernait confusément le bruit de la douche et gagnée par la panique, elle étouffa son orgueil pour supplier :

— Ne partez pas, mon père serait tellement contrarié. Je vous en prie ! Il serait furieux...

— Contre qui ?

Un lourd silence plana pendant quelques secondes dans la pièce. Un nouveau flot de colère envahit Nicole. Pourquoi Lang posait-il des questions aussi irritantes ?

— Contre moi, évidemment, répliqua-t-elle finalement en lui jetant un regard haineux.

Lang sembla réfléchir puis il pivota entièrement vers Nicole avec une souplesse insolente.

— Si je comprends bien, vous attribuez une très grande valeur à ma présence en ce moment ?

— Oui, en quelque sorte, admit-elle non sans éprouver une certaine gêne.

Où voulait-il en venir ?

— Et pour que je reste ici, vous êtes prête à accepter toutes mes conditions, n'est-ce pas ? lança-t-il d'une façon désinvolte mais lourde de menaces contenues.

Il fallait pourtant de toute évidence le prendre au sérieux. Ainsi, Lang profitait de la situation pour faire du chantage ! Qu'allait-il exiger ? Le souffle un peu court, Nicole le questionna. Elle savait aussi bien que lui qu'elle n'était pas en mesure de lutter.

— Quelles conditions ?

Il haussa les sourcils en feignant l'étonnement.

— Ne devinez-vous pas ?

— Je suppose que vous voulez être traité avec le respect et la soumission dûs à votre position et à votre fortune ! rétorqua-t-elle sur un ton ironique.

Il la parcourut d'un regard pénétrant.

— Si vous combattiez un peu votre nature agressive et capricieuse, cela suffirait, annonça-t-il, méprisant. Etes-vous disposée à respecter mes conditions ?

Nicole repoussa avec impatience une mèche de cheveux qui était tombée sur son visage.

— Comme je vous le disais ce matin, je suis d'accord pour faire la part entre mes sentiments personnels et mes obligations professionnelles dans l'intérêt du club. Je n'irai pas plus loin, Lang. Mes sentiments resteront ce qu'ils sont.

— Il est temps d'en changer, affirma-t-il.

— Et si je refuse, vous partez, n'est-ce pas ?

— Exactement.

— Vous ne pouvez pas supporter que tout le monde ne tombe pas à genoux devant vous, le grand Lang Jamieson ! jeta-t-elle avec dédain. C'est une question de principes ! Vous pouvez être fier !

En guise de réponse, il haussa les épaules. L'éclat furieux de son regard démentait pourtant l'indifférence qu'il feignait d'éprouver. Sans un mot, il se dirigea vers la porte et sortit de la pièce. Cette réaction amena une expression catastrophée sur le visage de Nicole.

Elle resta un instant clouée sur place, ne sachant que faire. Puis elle posa soudain le plat qui l'embarrassait et se précipita derrière lui. Il se trouvait déjà hors de la maison.

— Lang, vous êtes injuste ! s'écria-t-elle en le voyant disparaître dans l'obscurité.

Comme il ne paraissait pas décidé à l'écouter, elle fut obligée de le poursuivre en trébuchant sur le chemin qui conduisait à sa demeure.

— Lang ! Revenez, je vous en supplie !

Elle était parvenue à quelques mètres de lui, et il ne se retournait toujours pas.

— Bien, cria-t-elle, vous avez gagné ! Je vous demande pardon pour toutes les paroles désagréables que j'ai prononcées, et j'accepte toutes vos conditions ! Mais revenez ! Mon père sera hors de lui si vous ne revenez pas, murmura-t-elle pour terminer dans un soupir d'épuisement.

Enfin, il se retourna. Dans le noir, Nicole ne pouvait discerner l'expression de son visage. Elle se contenta de relever l'accent moqueur de sa voix.

— Toutes mes conditions ? répéta-t-il.

De petits frissons d'appréhension parcoururent la jeune fille.

— Dans... dans les limites du raisonnable, balbutia-t-elle d'une voix légèrement haletante.

Il éclata d'un rire sarcastique.

— Qu'est-ce qui vous fait croire que je songe à exiger des choses déraisonnables ? Si mes souvenirs sont exacts, je vous ai simplement demandé de vous montrer plus sociable ! Si vous songez à d'autres conditions, vous pouvez les attribuer à votre imagination, croyez-moi !

Nicole était pourtant persuadée que Lang avait délibérément provoqué cette équivoque, sans doute pour le plaisir de lui décocher ces paroles blessantes. Les joues brûlantes de colère et de honte, elle rassembla ce qui lui restait de dignité et répondit très sèchement :

— Vous me rassurez. Je découvre avec plaisir que nous sommes au moins d'accord sur un point.

— Et sur les autres ?

Elle haussa les épaules avec une nonchalance étudiée que Lang ne put malheureusement pas voir dans l'obscurité.

— N'ayant pas le choix, j'accepte vos conditions. Je serai la douceur et l'amabilité mêmes désormais. A vrai dire, fit-elle et s'interrompant le temps d'esquisser une petite moue ironique, je parie que vous finirez par être agacé tant je vais me montrer charmante et soumise.

— J'en doute, répliqua-t-il aussitôt. Le changement sera bien trop reposant.

Une main ferme s'empara de son bras et lui fit opérer un demi-tour.

— Puisque nous nous sommes mis d'accord, nous devrions rentrer à présent. Votre père doit se demander où nous sommes passés.

Maintenant seulement, il songeait à Bryce, parce qu'il avait obtenu ce qu'il voulait! Irritée par un tel comportement, Nicole se dégagea brutalement et précéda Lang sur le chemin du retour. Cet homme était décidément très doué pour profiter des situations dans lesquelles elle se trouvait en position de faiblesse!

Par chance, Bryce n'était pas encore sorti de la salle de bains, quand ils regagnèrent la cuisine. Nicole fut soulagée de ne pas avoir à lui expliquer pourquoi Lang et elle avaient quitté la maison. Elle put terminer les préparatifs du repas et mettre la table dans la salle à manger sans être interrompue par de nouveaux incidents.

5

Pendant le dîner, Nicole participa peu à la conversation. Elle était absorbée par ses pensées et se contentait de répondre lorsque l'un des deux hommes s'adressait directement à elle. Bryce paraissait content de voir sa fille dans des dispositions plus pacifiques à l'égard de son invité. Il était sans doute persuadé qu'elle s'était décidée à ce changement d'attitude de son propre gré. Toutefois, s'il n'y avait rien à redire à son comportement, les sentiments qu'elle nourrissait en son for intérieur étaient bien différents.

Comme elle l'avait expliqué à son père le matin même, la présence de Lang lui rappelait cruellement Julian. Par ailleurs, et c'était encore plus terrible, son image se superposait sans cesse à celle du jeune homme dans son esprit, allant jusqu'à la chasser. Nicole ne parvenait pas à comprendre pourquoi. Julian avait été l'homme qu'elle aimait, qu'elle avait désiré épouser, alors pourquoi Lang se substituait-il toujours à lui dans ses pensées? Jusqu'à présent, Nicole ne disposait que d'une seule explication pour ce fait étrange. L'hostilité qu'elle éprouvait pour le patron de son père était si vive et profonde qu'elle éclipsait tous ses autres sentiments. Et pour le moment, elle s'estimait satisfaite de cette explication.

Au grand soulagement de la jeune fille, le repas se

déroula sans problème. Lorsque le moment de faire la vaisselle arriva, elle fut étonnée de voir Lang l'entreprendre le plus naturellement du monde avec son père. L'un lavait pendant que l'autre séchait, et Nicole considéra leur invité d'un air songeur. Elle ne se l'était jamais représenté avec un torchon à la main. Ne jugeait-il donc pas cette tâche trop basse pour lui ? Lorsqu'elle avait tenté de l'empêcher de se mettre au travail, il l'avait repoussée en affirmant :

— C'est pour vous remercier de votre hospitalité.

Si Julian avait été à sa place, il n'aurait jamais proposé de participer à la vaisselle, même pour manifester sa reconnaissance à l'égard de Nicole. Alors qu'il n'était rien en comparaison de Lang, Julian avait pourtant toujours été très conscient de sa position sociale, et il possédait un sens aigu de ce qui n'était pas digne de lui. Au contraire, Lang semblait n'attacher aucune importance à ce genre de considérations, et c'était tout en son honneur, Nicole dut le reconnaître.

— Au fait, lança-t-il, interrompant la jeune fille au milieu de ses réflexions, j'ai dans mon bureau une circulaire qu'Avril Maher, la secrétaire du club, a envoyée à tous les membres. Je comptais vous l'apporter ce soir, mais comme j'ai rencontré votre père chez Sandy, je ne suis pas retourné chez moi. Je passerai la déposer demain matin, à moins que...

Un sourire irrésistible apparut sur ses lèvres et illumina ses yeux.

— ... à moins que, poursuivit-il, vous n'ayez envie d'essayer la piscine. Dans ce cas, vous pourrez venir prendre ces papiers vous-même.

— Oui, peut-être, je vous remercie, répondit Nicole.

En fait, elle était déjà pratiquement déterminée à ne pas donner suite à cette offre. Elle tenait à ne rien devoir à Lang. Disposant d'une piscine toute la semaine, elle n'avait pas besoin de la sienne durant les week-ends. Toutefois, depuis qu'elle avait aperçu la magnifique façade de sa maison ce matin, elle était dévorée de curiosité. Elle aurait aimé voir si l'intérieur était à la hauteur de cet extérieur imposant. Et soudain, elle s'entendit déclarer :

— Oui, je passerai peut-être chercher cette circulaire. J'avais l'intention de venir remercier Mme Verdon de m'avoir si gentiment préparé des légumes.

Bryce avait fini de ranger la vaisselle sur les étagères. Il accrocha les torchons et demanda :

— Qu'est-ce qui vous a incité à vous intéresser au Club de natation, Lang ? N'avez-vous pas déjà suffisamment de travail pour diriger Yallambee ?

— J'ai toujours aimé la natation, affirma-t-il très simplement. C'est un sport qui me passionne, et j'ai lancé le projet de construction d'une piscine à Nullegai. Ensuite, j'ai jugé de mon devoir de suivre la réalisation de ce projet jusqu'au bout. A vrai dire, lorsque le Club de natation a été formé, je n'avais pas l'intention d'y jouer un rôle. Mon objectif avait seulement été l'achèvement de la piscine. J'ai assisté pour la forme à la première réunion du club, et il se trouve que j'en ai été élu président avant d'avoir compris ce qui m'arrivait !

Il accompagna ses dernières paroles d'un sourire plein d'humour.

— Vous auriez pu refuser ce rôle si vous ne le souhaitiez pas vraiment, objecta Nicole.

Si seulement il l'avait fait, songea-t-elle.

— J'aurais pu, en effet, admit-il sur un ton légèrement ironique. Mais comme personne ne semblait décidé à prendre ma place, je suis resté. Il fallait que quelqu'un se dévoue dans l'intérêt du club.

Nicole comprenait parfaitement la situation. Elle en avait vécu de semblables à Sydney. Tout le monde voulait profiter des activités du club, mais c'étaient toujours les mêmes qui en assumaient la charge et les responsabilités.

— Les premières compétitions doivent avoir lieu mercredi prochain, n'est-ce pas ? se fit-elle confirmer.

— C'est exact. Je suis désolé, j'aurais dû vous en parler plus tôt. Avril m'avait prié de vous avertir. Elle était absente ces dernières semaines sinon elle vous aurait mise au courant à temps.

Nicole hocha la tête. Elle comprenait à présent pourquoi elle n'avait rencontré personne du club durant sa première semaine de travail. Le fait qu'elle avait jugé assez curieux s'éclairait par l'absence de la secrétaire.

— Avez-vous déjà fixé la nature des épreuves ? questionna-t-elle.

— Oui, Avril en a discuté avec le responsable de la piscine de Franklyn. Pour commencer du moins, nous allons procéder comme eux.

— Bien, dans ces conditions, il ne nous reste plus qu'à préparer nos chronomètres et à voir comment on nage à Nullegai ! lança aimablement Nicole.

— C'est cela même, accorda Lang avec un sourire si dévastateur qu'elle en eut le souffle coupé.

Elle baissa les yeux à la hâte pour dissimuler le soudain émoi qui s'était emparé d'elle.

— Avez-vous déjà découvert des prodiges parmi vos élèves ? interrogea Lang.

Elle prit un air mystérieux.

— Peut-être, fit-elle en songeant aux progrès spectaculaires de la jeune Rhonda Parrish. Attendez mercredi et vous verrez !

Lang haussa les sourcils d'une manière comique.

— Il le faudra bien puisque vous tenez à garder vos secrets !

— En effet, confirma-t-elle, et elle sourit intérieurement.

Pour une fois, Lang n'était pas au courant de tout, et un peu d'ignorance lui ferait du bien, estima-t-elle.

Lorsque la cuisine fut parfaitement rangée, la jeune

fille se rendit avec son père et leur invité dans le salon. La conversation prit alors un tour plus général, incluant de nouveau Bryce. Au bout d'un moment, Lang prit enfin congé de ses hôtes. Nicole aspirait à un sommeil réparateur. La journée s'était révélée fertile en émotions, et elle ne tarda pas à souhaiter une bonne nuit à son père, puis elle gagna sa chambre en poussant un soupir d'aise.

Le chant des oiseaux réveilla la jeune fille le lendemain matin. Ils étaient perchés sur un arbre près de sa fenêtre, et elle ouvrit les yeux pour découvrir une journée magnifique, éblouissante de soleil. Au même moment, une délicieuse odeur de bacon frit chatouilla ses narines. Lorsque Nicole prit sa montre sur la table de nuit, une exclamation d'incrédulité lui échappa. Il était près de neuf heures, et elle avait prévu de se lever bien plus tôt ! Elle sauta prestement en bas du lit, révélant ses jolies jambes bronzées, et se précipita dans la salle de bains. Après avoir fait sa toilette, elle enfila un short couleur bronze et un léger corsage en coton jaune, sans manches ni bretelles, froncé au-dessus de sa poitrine.

— Tu aurais dû me réveiller, reprocha-t-elle gentiment à son père en entrant dans la cuisine.

Il avait déjà presque terminé son petit déjeuner et, tout en mangeant, il lisait un livre qu'il avait posé contre le panier à condiments.

— Je ne voulais pas dormir si longtemps, ajouta-t-elle.

Bryce lui adressa un sourire affectueux.

— Rien ne presse ce matin. Je suppose que tu avais besoin de sommeil.

Elle se versa une tasse de café et s'installa en face de lui.

— Je ne veux pas perdre le peu de temps que nous

pouvons passer ensemble, affirma-t-elle sur un ton empreint de tendresse.

Elle entreprit de se beurrer un toast et ajouta :

— En outre, je dois aller voir Mme Verdon pour la remercier, et je prendrai par la même occasion la circulaire dont Lang m'a parlé.

— Fais-le donc tout de suite après le petit déjeuner pendant que j'organise le travail de la journée avec Alan et Sandy, conseilla Bryce.

Il ferma son livre avant de le poser sur une étagère et dit :

— Prends tout ton temps avec Lang et Jessie. Nous nous retrouverons ici ensuite.

Son père semblait penser qu'elle souhaitait se baigner. Comme il n'aurait pas compris ses réticences à utiliser la piscine de Lang, Nicole n'aborda pas ce sujet. Elle se contenta d'incliner la tête en signe d'assentiment. Avec un peu de chance, calcula-t-elle, elle pourrait passer tout le temps que son père lui accordait en bavardant avec Jessie Verdon.

Elle quitta donc Bryce et s'engagea sur le chemin qui menait à la maison de Lang. Au bout d'un petit quart d'heure, elle atteignit les bosquets marquant le début de ses jardins. Le soleil dispensait une chaleur agréable, et Nicole lui offrait avec plaisir ses épaules et ses bras nus. Comme elle n'était pas pressée, elle flâna tranquillement, admirant les fleurs et les plantes, respirant les parfums variés qui l'enveloppaient.

Tandis qu'elle approchait de la maison, le chemin s'élargit, se transformant en allée surmontée d'une pergola. La vigne vierge qui la recouvrait dessinait une dentelle d'ombre sur le frais dallage en pierre. Et au fond, sous la tonnelle verdoyante, une table et des fauteuils de jardin lui lancèrent une invitation muette. Elle découvrit par hasard la piscine sur une vaste terrasse derrière la maison. Elle avait des belles proportions, et Nicole eut du mal à résister à l'appel de cette eau scintillante sous le ciel bleu.

Elle jeta rapidement un regard autour d'elle. Ne voyant personne, elle marcha jusqu'au bord carrelé du bassin et, retirant sa sandale droite, elle s'autorisa à y tremper le bout du pied. Comme elle s'y était attendue, la température de l'eau était idéale.

— Vous arrivez juste à temps pour vous baigner avec moi, fit une voix tout près d'elle.

Nicole se redressa brutalement, si brutalement que le talon de son autre soulier glissa sur le bord lisse de la piscine. Elle perdit l'équilibre et, avec un cri, tomba dans le bassin en faisant gicler l'eau autour d'elle.

Elle revint aussitôt à la surface. Rejetant ses cheveux en arrière, elle posa un regard navré sur ses vêtements trempés.

— Regardez-moi! gémit-elle. Vous pouvez être fier! Pourquoi m'avez-vous fait si peur en arrivant derrière moi comme un voleur?

Lang se dressait au-dessus d'elle, et son visage n'exprimait pas le moindre remords.

— Je ne vous savais pas si peureuse! lança-t-il sur un ton moqueur. La prochaine fois, ne vous approchez pas tant du bord!

Il avait le don de la mettre hors d'elle avec son humour. Et, de le voir là, si désinvolte dans son maillot bleu marine, sa serviette négligemment jetée sur l'épaule, mit le comble à la colère de Nicole.

— Ne vous inquiétez pas pour moi. Tout ce que je vous demande, c'est de ne pas me suivre partout!

— Je ne vous suis pas partout, nia-t-il d'une voix glaciale. Que vous imaginez-vous? Je me préparais à prendre un bain quand je vous ai vue sur la terrasse.

— Eh bien, moi, je ne vous ai pas vu! répliqua-t-elle.

Après un bref moment d'hésitation, elle se décida à

prendre la main qu'il lui tendait, l'échelle se trouvant juste à l'opposé de la piscine.

Elle posa son autre main sur le bord du bassin dans le but de prendre un appui, mais l'eau qui s'était engouffrée dans son corsage fut brusquement libérée par ce mouvement, et les doigts de Nicole dérapèrent. Ses efforts désespérés pour se rattraper aboutirent à un résultat tout à fait imprévu. Les secousses se répercutèrent sur la main tenue par Lang et, moitié tombant, moitié plongeant, celui-ci rejoignit Nicole dans l'eau.

Ce n'était que justice, songea la jeune fille sans pouvoir retenir un éclat de rire. Ravie, elle regarda la serviette à présent mouillée qui était restée sur l'épaule de son propriétaire. Lorsque la tête de Lang émergea, il s'écria :

— Petite... !

Il s'interrompit au milieu de son exclamation et, d'un geste furieux, empoigna la serviette de bain pour la poser sur le bord.

— J'essayais de vous aider !

— Je le sais bien, affirma-t-elle en riant toujours.

Puis, comme elle discernait une expression de fureur sur le visage de Lang tandis qu'il s'approchait d'elle, elle comprit qu'il l'accusait de l'avoir entraîné exprès dans l'eau. Elle s'en défendit aussitôt :

— Je n'y suis pour rien, Lang. Honnêtement, je vous le jure !

— Vous imaginez-vous que je vais vous croire ? Vous ne pensez qu'à me jouer des tours depuis que nous nous sommes rencontrés !

— Mais pas cette fois ! objecta-t-elle en secouant la tête. D'ailleurs je ne vois pas pourquoi vous vous plaignez, vous au moins, vous êtes en maillot de bain !

— A votre avis, je dois donc accepter sans mot dire cette petite plaisanterie ?

— Mais non, je...

La jeune fille commença à battre en retraite le plus

vite possible. Elle ne pouvait s'empêcher de rire en revoyant la scène, et sa gaieté ne contribuerait pas à convaincre Lang de son innocence. Consciente qu'il allait la rattraper avant qu'elle eût atteint l'échelle, elle se mit soudain à nager. L'inutilité de sa tentative de fuite se vérifia au bout de quelques mouvements, car elle dut s'arrêter pour remettre en place son corsage que l'eau avait soulevé jusqu'à son visage. Malgré la rapidité de son geste, une grande main en profita pour s'abattre sur son épaule et lui fit opérer de force un demi-tour.

— Je suis désolée, Lang, je n'avais vraiment pas l'intention de vous faire tomber, assura-t-elle dans l'espoir d'apaiser sa colère.

— Moi non plus, je n'ai pas vraiment l'intention de faire ce que je vais faire, déclara-t-il, sans se laisser amadouer.

Son autre main se glissa dans la chevelure mouillée de Nicole tandis qu'il penchait son visage vers le sien. Pour la punir, il s'empara violemment de ses lèvres. Elle voulut se débattre, mais la chaleur de sa bouche éveillait de traîtres sensations en elle, et elle se souvint de la première fois où Lang l'avait tenue dans ses bras. Presque sans s'en rendre compte, elle cessa de se raidir, et se surprit finalement à répondre avec un total abandon à son baiser.

Sentant qu'elle ne résistait plus, Lang ne la serra plus aussi brutalement contre lui, et ses lèvres se firent plus douces et persuasives. Ses mains descendirent le long du dos de Nicole, jusqu'à l'endroit où le short et le corsage s'étaient séparés. La jeune fille oublia tout sauf le corps ferme et musclé qui se pressait contre le sien. Ne songeant plus qu'à rendre caresse pour caresse, elle promena ses doigts sur la puissante poitrine de Lang, sur ses larges épaules, et les baisers de celui-ci devinrent alors plus intenses et passionnés.

Nicole ne parvenait pas à comprendre ce qui lui

arrivait et pourtant, même si Lang l'avait relâchée, elle ne se serait pas écartée de lui. Le sang bouillonnait comme un torrent impétueux dans ses veines, et les battements déchaînés de son cœur résonnaient jusque dans ses oreilles. Lang l'hypnotisait-il pour exercer un pouvoir aussi imprévu et absolu sur elle ? Non, il n'en avait pas besoin, dut-elle s'avouer. L'émoi dans lequel elle se trouvait était né au plus profond d'elle-même.

Lang releva enfin la tête et plongea un regard pénétrant dans les yeux bleus de Nicole qui reflétaient sa stupéfaction et son trouble.

— Je vous félicite. Vous n'auriez pas pu mieux prouver votre indifférence à l'égard des hommes ! railla-t-il. A moins que vous ne m'ayez encore une fois pris pour un autre ?

Se recroquevillant intérieurement sous sa cruelle ironie, elle réussit tout de même à hausser les épaules avec une feinte désinvolture.

— Et vous, pour qui m'avez-vous prise ? rétorqua-t-elle comme elle se rappelait soudain Eunice Blanchard.

Elle regretta de ne pas avoir songé à elle plus tôt. Si elle y avait pensé, elle n'aurait peut-être pas cédé si facilement aux baisers de Lang.

— Que voulez-vous dire par là ?

Elle haussa de nouveau les épaules et, très digne, se dirigea vers l'échelle.

— Vous avez des amies à qui vous auriez sans doute accordé vos faveurs plus volontiers qu'à moi, je suppose ?

Il ne le nia pas et, sans répondre à sa question, lança une nouvelle attaque :

— Tout cela ne m'explique toujours pas pourquoi vous vous êtes montrée si coopérante. Alors, je vous écoute !

— Voulez-vous vraiment savoir pourquoi je me suis montrée coopérante ?

94

Elle éclata d'un rire un peu forcé et lui jeta un regard rusé.

— C'est facile. Comme vous aviez décidé de m'infliger ces baisers en guise de châtiment, j'ai cherché à faire tomber votre colère, voilà tout. Il y a plusieurs façons de gagner, Lang, l'ignoriez-vous ? L'une d'elles consiste à faire semblant de perdre !

Sa réplique insolente lui valut un coup d'œil noir et méprisant. Elle escalada l'échelle avec plus de précipitation que de grâce, se souciant avant tout d'échapper à la dangereuse présence du propriétaire de Yallambee.

— Je... je reviendrai pour les papiers plus tard, balbutia-t-elle en regagnant à la fois la terre ferme et la sécurité. Je vous laisse, bonne baignade !

— Je vous remercie mais j'en ai perdu l'envie, fit-il sur un ton cinglant et il ne tarda pas à la rejoindre. Et autant que vous preniez les papiers tout de suite. C'est bien pour cela que vous êtes venue ?

— Oui, mais il n'y a pas urgence. Je peux très bien repasser au cours de l'après-midi.

— C'est maintenant ou jamais ! lança-t-il presque méchamment. Je m'absente cet après-midi.

— Bien, dans ce cas...

Mal à l'aise, Nicole dansait d'un pied sur l'autre. Déjà, Lang tournait les talons et partait à grands pas vers la maison. N'ayant pas le choix, elle se décida à le suivre à contrecœur. Arrivée à la porte de la cuisine, elle s'immobilisa, consciente de l'eau qui ruisselait de ses vêtements.

— Je vous attends ici, annonça-t-elle. Je ne veux pas mouiller le sol.

— Oh, pour l'amour du ciel, cessez de vous chercher de stupides excuses ! gronda-t-il.

Sa main s'empara du poignet de Nicole sans ménagement et il la tira de force à l'intérieur.

— Je n'ai pas l'intention de vous embrasser de nouveau, si c'est ce qui vous inquiète !

— Non, je... je... je voulais seulement éviter de mouiller le sol ! parvint-elle enfin à affirmer d'une voix lourde de rancune.

Impuissante, elle considéra avec une colère contenue le dos bronzé de Lang tandis qu'il l'entraînait sur le carrelage vert clair de la cuisine. Le passage de la jeune fille y laissa une traînée brillante.

— N'ayez pas peur, la cuisine en a vu d'autres, assura son compagnon sur un ton sec en se retournant vers elle l'espace d'une seconde. On se croirait peut-être dans un décor de théâtre, mais nous sommes avant tout dans une maison ici, et cette maison est la mienne !

En parlant avec tant de naturel d'un lieu aussi somptueux, Lang prouvait qu'il y était habitué depuis sa naissance. Tout ce que Nicole aperçut en traversant le hall pour se rendre dans un bureau aux murs couverts de livres, évoquait le luxe et la richesse. Plus que jamais, la jeune fille sentit qu'elle appartenait à un monde bien différent de celui de Lang. Le mobilier et la décoration qu'il considérait sans s'émouvoir, la plongeaient dans une admiration proche de l'effroi.

Du deuxième tiroir d'un bureau en marqueterie, Lang sortit une liasse de papiers, puis il repartit en direction de la porte.

— Je vais étudier ces papiers avec vous dans la cuisine. Je n'ai pas encore pris mon petit déjeuner, déclara-t-il avec un sourire.

Nicole détourna vivement son regard. Décidément, les sourires de Lang avaient le don de la faire rougir !

— Dans ce cas, je ne veux pas vous retarder, murmura-t-elle fébrilement. Je vais retourner me changer et je les regarderai ensuite.

— Non, Avril m'a demandé de vous expliquer certains points de détail. Il vaut mieux que nous les examinions ensemble, affirma-t-il sur un ton sans réplique pendant qu'ils regagnaient la cuisine.

Il promena des yeux brillants d'amusement sur la tenue de la jeune fille et ajouta négligemment :

— Et si vous souhaitez porter quelque chose de plus sec, je dois pouvoir trouver ce qu'il vous faut parmi les affaires laissées par mes sœurs. Cela vous permettra de mettre les vôtres dans le sèche-linge.

Oui, Nicole souhaitait enfiler quelque chose de plus sec... et de moins moulant, songea-t-elle avec une grimace ! Le short et le corsage collaient à son corps comme une seconde peau. Elle aurait pourtant encore mille fois préféré s'échapper dans cette tenue. La lutte était trop inégale. Dans ses habits qui révélaient ses formes, elle amusait Lang. Se rendait-il compte que pendant ce temps, elle se troublait à la vue de son corps d'athlète vêtu d'un simple maillot de bain ?

— Non, non, ne vous donnez pas cette peine, protesta-t-elle. Je peux...

— Asseyez-vous et obéissez pour une fois, commanda-t-il, et d'une main ferme il l'obligea à prendre place sur une chaise de la cuisine. Je n'en ai pas pour longtemps.

Nicole poussa un soupir de honte et d'exaspération, mais elle ne bougea pas. Elle attendit. Que pouvait-elle faire d'autre ? Lang avait même pensé à emporter les papiers pour lui éviter la tentation de s'enfuir avec eux pendant son absence.

Lorsqu'il revint, il lui tendit une robe de chambre bleue et blanche, une serviette de toilette, une brosse et un peigne. Elle s'aperçut avec soulagement qu'il s'était habillé. Il avait revêtu une chemise immaculée et un pantalon de coutil assorti, maintenu à la taille par une large ceinture de cuir.

— Vous trouverez une salle de bains derrière la buanderie, annonça-t-il en désignant une porte à l'autre bout de la cuisine. Vous pouvez vous changer là-bas si vous le voulez, au lieu de monter.

Ne demandant pas mieux que de se soustraire à sa

présence affolante, ne fût-ce que pendant un petit moment, Nicole s'empressa de suivre sa suggestion. La robe de chambre créait une illusion d'intimité dont elle aurait préféré se passer, mais elle se sentit toutefois moins vulnérable dans ce vêtement ample et sec. Elle essuya vigoureusement ses cheveux avec la serviette, les peigna puis, en traversant la buanderie, elle plaça ses affaires mouillées dans le sèche-linge et le mit elle-même en route.

Lorsqu'elle réapparut dans la cuisine, Lang tenait à la main une poêle et il se tourna vers elle.

— Avez-vous mangé ?

— Oui, merci, répondit-elle en inclinant la tête.

Hésitante, elle l'observa pendant qu'il faisait frire un œuf.

— Est-ce que je peux vous... vous aider ?

— Non, non, je m'occupe de tout, répliqua-t-il sur un ton légèrement moqueur. Mais si vos instincts de maîtresse de maison l'exigent, je vous confie la responsabilité du café !

Sans relever l'ironie, Nicole se dirigea vers le percolateur. Elle préférait s'occuper plutôt que de rester figée à contempler son interlocuteur. Lorsqu'elle le regardait, les pensées les plus folles se présentaient à son esprit, et elle ne savait plus où elle en était.

— Est-ce que je verse le café ou désirez-vous vous en charger ? s'enquit-elle quelques minutes plus tard en prenant place à côté de Lang à la table.

— Comme vous voudrez, ma chère, répliqua-t-il indolemment.

Il la remercia lorsqu'elle lui tendit une tasse remplie. Nicole se versa aussi du café, et il lui demanda :

— Etes-vous sûre de ne rien vouloir manger ?

Elle secoua la tête.

— Non, j'ai déjà pris mon petit déjeuner. D'ailleurs, n'êtes-vous pas un peu en retard pour le vôtre ?

Une lueur malicieuse brilla dans ses yeux bleus, et Lang acquiesça à sa manière toujours décontractée.

— Un peu, en effet, mais je ne suis rentré de mon tour d'inspection que quelques minutes avant votre arrivée.

— Avez-vous déjà travaillé ce matin? s'étonna-t-elle.

— J'avais une ou deux choses à contrôler.

— Vous vouliez contrôler le travail de mon père?

Cette repartie échappa à Nicole plus vite qu'elle ne l'aurait voulu. Elle n'avait pas d'arrière-pensée, mais Lang haussa les sourcils en signe d'irritation.

— Non, pourquoi? Aurais-je dû le faire?

Confuse, Nicole baissa les yeux sur son café. Elle regrettait amèrement ses paroles. Si elle n'y faisait pas attention, elle risquait de donner des doutes à Lang sur les capacités de Bryce.

— Non, bien sûr que non, murmura-t-elle finalement en s'obligeant à rencontrer de nouveau le regard de son interlocuteur.

Elle se demandait à présent s'il avait parlé sérieusement.

— Je voulais seulement...

— Vous vouliez me provoquer, et non pas jeter le discrédit sur votre père, compléta-t-il.

— Je vous demande pardon, dit-elle tout bas en se mordillant la lèvre inférieure. Je retire ce que j'ai dit.

— Vraiment? C'est un événement!

Lang semblait si fâché que la jeune fille tenta de détendre l'atmosphère en changeant de sujet.

— A propos de la circulaire du club, lui rappela-t-elle, ne désiriez-vous pas m'expliquer certains points?

Il ne répondit pas tout de suite. Il se borna à soutenir son regard qui s'était fait implorant. Il poussa enfin un profond soupir et, au grand soulagement de Nicole, le sourire tant attendu éclaira son visage.

— Je me demande parfois si vous vous rendez

exactement compte des leçons que vous méritez pour vos provocations ?

— Je croyais que vous m'aviez déjà punie !

— Nous avons passé un accord, fit-il avec un léger rire, mais ce n'est rien en comparaison du traitement que j'aimerais vous infliger.

Nicole jugea prudent et avisé de ne pas solliciter d'explications sur ce sujet, et elle reporta toute son attention sur les feuilles qui étaient posées entre eux sur la table. En cet instant précis, il lui fallait occuper son esprit pour masquer sa confusion.

Elle se hâta d'indiquer du doigt une ligne de la première page.

— Avril vous a-t-elle prié de me parler de ce point-là ?

Lang consentit à hocher la tête.

— Et il y a aussi la question des fêtes de Nullegai. Elle est évoquée un peu plus loin.

Il lui précisa un certain nombre de détails et, à l'aise lorsqu'elle discutait de son sujet favori, la jeune fille abandonna provisoirement son comportement hostile. Elle manifesta soudain une bonne volonté qui surprit de toute évidence son compagnon. Ils parlèrent des différents types de nage, des performances, de l'entraînement, du nombre de participants aux épreuves, des conditions dans lesquelles Nullegai recevrait des équipes venant d'autres villes et enverrait les siennes à l'extérieur. Ils parlèrent de tout et aboutirent à un accord complet. Il régna un climat d'entente si agréable entre eux que Nicole ne vit plus le temps passer. Elle se rendit seulement compte de l'heure avancée lorsqu'une femme entre deux âges, très menue, apparut à la porte de la pièce.

Comme elle l'avait deviné, il s'agissait de Jessie Verdon. Lang les présenta l'une à l'autre et, après avoir salué l'arrivante, Nicole éprouva brusquement un embarras considérable lorsque son regard tomba sur sa robe de chambre. Qu'allait penser cette femme en la trouvant dans cette tenue en aimable tête-à-tête avec Lang ? La scène revêtait toutes les apparences d'une idylle.

— Je... je crois que je vais aller chercher mes vêtements, il est temps que je parte. Mon père m'attend sûrement.

Elle esquissa un petit sourire gêné en commençant à se diriger vers la buanderie. Elle balbutia encore à l'égard de Lang :

— Ce sera beaucoup plus facile pour moi maintenant que... que je suis au courant.

— C'est tout naturel, fit-il sur un ton railleur.

Il regardait la jeune fille battre en retraite avec un vif amusement. Il se tourna ensuite vers sa servante pour lui donner des explications :

— Nicole est tombée tout habillée dans la piscine. Je lui ai prêté cette robe de chambre pour qu'elle puisse faire sécher ses affaires.

— Oh, ma pauvre ! s'écria la servante. Quelle malchance !

— En effet, répondit Nicole en échangeant un lourd regard avec Lang. Vous voyez, tout peut arriver !

Elle se sentit plus à l'aise lorsqu'elle remit ses propres vêtements. Elle accrocha la robe de chambre sur un cintre au dos de la porte de la salle de bains et s'en fut remercier Jessie comme elle en avait l'intention.

— Je vous en prie, ce n'était rien, affirma gentiment la servante. Si cette petite aide vous a permis de passer un peu plus de temps avec votre père, c'est tout ce qui compte. Je crois que vous lui manquez plus qu'il ne le dit.

— Alors je ferais bien de ne pas m'attarder plus longtemps et de le rejoindre au plus vite.

Avec un sourire, Nicole désigna ses pieds nus.

— Mes sandales sont restées sur le bord de la piscine. Je les avais complètement oubliées. Je vais les chercher. Pourriez-vous saluer Lang de ma part quand il reviendra ?

Il avait en effet disparu pendant que Nicole se trouvait dans la salle de bains.

— Bien sûr, mais je crois qu'il n'en a pas pour longtemps. Il est seulement parti répondre au téléphone.

— Vraiment ?... Je suis désolée mais je dois partir sinon mon père risque de s'inquiéter. Je le reverrai sûrement une autre fois.

En prononçant ces paroles, Nicole s'échappait déjà vers la porte.

— Comme vous voudrez. Je lui dirai au revoir de votre part, lança Jessie tandis qu'elle s'éloignait.

La serviette trempée de Lang était encore là où il l'avait laissée dans sa colère. Par réflexe, Nicole la tordit vigoureusement avant de la mettre à sécher sur les montants de l'échelle de la piscine. Elle eut plus de mal à récupérer ses sandales. Celle qu'elle avait ôtée pour tester la température de l'eau se trouvait sur le bord de la piscine. L'autre, qu'elle avait perdue pendant sa chute, était en revanche tombée au fond du bassin. La jeune fille chercha des yeux un outil de jardin, un rateau par exemple, afin de tenter de ramener le soulier à la surface. Comme elle n'apercevait rien du genre, elle en conçut un certain dépit. Elle n'avait pas la moindre envie d'appeler Lang à son secours.

Son soulier se trouvant à l'extrémité la moins profonde de la piscine, elle pensa pouvoir l'attraper avec ses orteils. Il lui suffirait de s'accroupir et d'enfoncer sa jambe dans l'eau en prenant garde de ne pas mouiller son short. Après plusieurs essais infructueux, elle se prit une fois de plus à regretter de ne pas être plus grande. Elle était furieuse d'avoir réussi à frôler la sandale sans parvenir à la saisir. Ce n'était pourtant qu'une question de millimètres. Avec une grimace, elle se décida à retourner vers la maison pour demander assistance.

Au moment où elle se relevait, quelque chose de léger effleura son bras. Elle sursauta instinctivement et, perdant l'équilibre, elle tomba pour la seconde fois de la journée dans l'eau. Elle eut le temps d'apercevoir pendant sa chute deux jambes vêtues d'un pantalon blanc. Puis elle vit Lang jeter au loin une brindille. Son sang ne fit qu'un tour.

— Vous l'avez fait exprès, vous êtes un monstre ! Cela vous amuse !

Les poings sur les hanches, elle hurlait de rage.

— Ce n'est qu'un prêté pour un rendu, répliqua-t-il, les yeux brillants d'ironie.

— Mais moi je ne l'avais pas fait exprès ! Combien de fois encore faudra-t-il vous le répéter ?... Vous vous entêtez stupidement à ne pas me croire !

— Je me demande pourquoi...

Son intonation exprimait un tel scepticisme, et son regard, une telle sévérité, que Nicole ne put s'empêcher de rougir. Evidemment, il n'était pas entièrement à blâmer pour sa méfiance. Le comportement de la jeune fille la justifiait pleinement.

— Vous n'avez aucune excuse, lui reprocha-t-elle pourtant avec véhémence.

Elle n'avait plus à présent aucun mal à ramasser sa sandale.

— Vous n'auriez pas dû me jouer ce vilain tour, ajouta-t-elle.

Un coin de la bouche de Lang se releva en une grimace moqueuse.

— Vous n'escomptez pas que je vous demande pardon, j'espère ?

— Le grand Lang Jamieson, demander pardon ! Non, je n'y compte pas, fit-elle en se montrant aussi ironique que lui. Je ne me fais pas tant d'illusions !

Il éclata d'un rire exaspérant, et Nicole se hissa hors du bassin, sans son aide cette fois.

— Connaissant votre caractère vindicatif, je suis sûr que vous me revaudrez cette prétendue injustice.

Une prétendue injustice ! Il plaisantait ! Elle n'avait pas mérité ce second bain, mais il avait raison sur au moins un point : oui, elle allait se venger !

L'occasion s'en présenta plus vite qu'elle ne l'aurait rêvé. Lorsqu'elle se dirigea vers Lang pour récupérer sa sandale droite, il se baissa poliment pour la lui ramasser. Elle profita de sa position penchée pour le pousser à deux mains de toutes ses forces.

Le résultat fut des plus satisfaisants. Lorsqu'il revint à la surface de l'eau, il arborait la même expression furieuse que Nicole cinq minutes plus tôt.

— Vous n'escomptez pas que je vous demande pardon, j'espère ? lança-t-elle sur un ton identique au sien.

Elle riait, ravie de son tour, mais elle ne se sentit tout de même pas le courage de rester pour affronter sa colère. Son seul regard, tandis qu'il sortait de l'eau, suffit à lui couper le souffle, et elle s'enfuit sans attendre le châtiment qu'il lui promettait. Elle ne ralentit pas sa course avant d'avoir atteint la clôture du jardin de son père. Un coup d'œil jeté par-dessus son épaule lui indiqua qu'elle n'était pas suivie. Elle pénétra alors d'un pas plus calme à l'intérieur de la maison.

— Où diable étais-tu passée ? s'écria Bryce en s'étonnant de la voir apparaître trempée et haletante.

Elle se tourna malgré elle vers la porte, s'attendant encore, contre toute vraisemblance, à voir surgir Lang. Elle émit un petit rire gêné.

— Oh, ne t'inquiète pas ! En essayant de récupérer l'un de mes souliers dans la piscine, j'y suis tombée. J'ai couru jusqu'ici parce que je savais que tu m'attendais.

Bryce ne semblait pas du tout convaincu de cette explication.

— Pourrais-tu me dire pour commencer ce que ta sandale faisait dans la piscine ?

— Elle y était tombée, fit-elle de l'air le plus désinvolte.

— Tombée de ta main, je suppose ?

— Non, de mon pied, avoua-t-elle avec un étrange sourire.

Son père prit un air soupçonneux.

— Je n'y comprends rien. Daignerais-tu m'éclairer ?

— C'est pourtant très simple, affirma-t-elle et elle résuma tant toute l'histoire que son père ne sut rien des deux chutes de Lang.

Elle se garda bien de lui parler du baiser qui avait suivi la première, et elle était certaine que Bryce aurait été contrarié en apprenant les circonstances de la seconde.

— En vérité, déclara-t-elle en conclusion, le moment le plus embarrassant a été celui où Jessie m'a surprise en robe de chambre comme si j'avais passé la nuit là-bas.

— Elle ne se serait pas émue pour si peu, répliqua Bryce avec un éclat de rire.

Nicole ouvrit de grands yeux.

— Comment ? Veux-tu dire qu'elle est habituée à voir des femmes dans cette tenue partager le petit déjeuner de Lang ?

— Non, fit-il avec un soupir agacé. Je voulais dire qu'elle ne se serait pas fait des idées sans preuves.

L'expression excédée de son père lui indiqua qu'elle avait été bien inspirée de ne pas lui confier son comportement envers Lang, et surtout le dernier incident. Soulagée de s'en tirer à si bon compte, elle le quitta peu après pour aller se changer.

6

Le reste du week-end passa à une allure vertigineuse et bientôt, le moment de repartir arriva. Bryce reconduisit sa fille à Nullegai où commença pour elle une nouvelle semaine.

Gervais se présenta en retard le lundi après-midi pour sa leçon. Il s'approcha de Nicole sans se presser, comme s'il avait tout son temps, et comme si elle n'avait rien d'autre à faire que de l'attendre. Il mit des heures à se changer et, quand il sortit enfin de sa cabine, il se permit encore de s'arrêter pour bavarder avec un camarade.

— Es-tu vraiment sûr d'être prêt cette fois ? ne put s'empêcher d'ironiser Nicole quand il se tint enfin devant elle.

A cause de lui, tous ses cours allaient être décalés.

— Je crois que oui, répondit-il très tranquillement. Par quoi commençons-nous ?

— Montre-moi d'abord ce que tu sais faire, déclara Nicole, souriant de tant d'aplomb.

Il haussa les épaules d'un air désinvolte et indiqua de la main l'extrémité la moins profonde de la piscine.

— Là ?

— Où tu voudras.

— Je connais toutes les nages, affirma-t-il avec

assurance. Ma mère m'a emmené prendre des cours à Franklyn l'année dernière.

Même s'il avait pris beaucoup de cours, Nicole avait du mal à croire qu'il connaissait vraiment toutes les nages. Mais en vérité, les résultats variaient selon l'application et la bonne volonté des élèves. Elle conserva pourtant ses doutes en accompagnant Gervais de l'autre côté de la piscine. Elle serait bientôt fixée sur ses capacités.

Et fixée, elle le fût ! Gervais savait en effet reproduire tous les mouvements, mais lorsqu'il s'agissait de les exécuter dans l'eau, c'était une toute autre affaire. Au bout d'un moment, la jeune fille se demandait s'il ne se montrait pas exprès plus maladroit qu'il ne l'était. Elle n'avait jamais vu un enfant aussi peu doué. Il semblait pourtant assez intelligent pour comprendre ses conseils, alors pourquoi faisait-il exactement le contraire ?

Lorsqu'elle lui disait d'expirer sous l'eau, il en ressortait, le visage congestionné et se plaignait en toussant d'avoir eu besoin de respirer. Son corps paraissait en plomb, et il ne parvenait pas à flotter malgré les encouragements de Nicole.

A la fin du cours, elle constata qu'elle venait de faire sa plus malheureuse et pénible expérience d'enseignante. Elle rappela le jeune garçon qui repartait vers le vestiaire.

— Gervais, as-tu vraiment envie d'apprendre à nager ? questionna-t-elle en étudiant très attentivement sa réaction.

— Ma mère dit qu'il est très important de savoir nager.

— C'est vrai, bien sûr, accorda-t-elle, mais ce n'est pas ce que je t'ai demandé. Toi, désires-tu vraiment apprendre à nager ?

Il garda une expression indéchiffrable et, comme le

samedi précédent, son regard soutint celui de Nicole sans faiblir.

— Si je ne sais pas nager, je ne pourrai pas m'inscrire au Club de natation, n'est-ce pas?

— Souhaites-tu t'inscrire?

— Ma mère dit...

Nicole l'interrompit avec humeur. Commençait-il donc toutes ses phrases par ces trois mots?

— Et toi, que dis-tu? lança-t-elle.

Il haussa les sourcils comme si elle venait de poser une question absurde.

— Lang Jamieson est le président du club, n'est-ce pas?

— Et alors? fit-elle en tressaillant malgré elle.

— C'est un très bon nageur.

— Je ne vois toujours pas le rapport entre ce fait et ton désir de devenir membre du club.

Où l'enfant voulait-il en venir?

— Il s'intéresse à moi, déclara-t-il.

Bien sûr, parce qu'il avait l'intention d'épouser Eunice Blanchard! Nicole faillit faire cette remarque et la retint juste à temps sur ses lèvres. Prudemment, elle se borna à demander:

— Est-ce lui qui t'a suggéré de faire partie du club?

— Non, c'est ma mère.

A bout de patience, Nicole passa la main dans sa chevelure et conclut:

— Bon, si ta mère est d'accord, reviens me voir demain après-midi. Au cas où tu voudrais réellement participer à des compétitions, nous avons du travail.

— C'est bien ce que je pensais, affirma Gervais sur un ton toujours aussi neutre et détaché.

Le lendemain, le temps changea du tout au tout. Il y eut tant de pluie et de vent que Rod Barker décida de fermer la piscine l'après-midi. Durant la matinée, Nicole avait étudié des documents et s'était débarrassée d'un travail administratif astreignant qu'elle n'aimait pas beaucoup. Elle fut ravie d'avoir un répit imprévu d'une demi-journée.

Après avoir dit au revoir à Rod, elle se lança tête baissée sous l'averse. En regardant à gauche et à droite pour traverser au bout de quelques pas, elle remarqua un véhicule familier. Bien sûr, il s'agissait de la voiture de Lang! Il était normal qu'elle fût garée devant la maison d'Eunice Blanchard. Ne devait-il pas se marier prochainement avec cette femme?

Cette idée causa à Nicole un étrange déplaisir. En même temps, une douleur sourde lui rongeait la poitrine. Pourquoi réagissait-elle ainsi? Lang n'était rien pour elle, et il ne serait jamais rien, c'était même impensable! Ces beaux raisonnements ne la calmèrent nullement. Elle aurait dû poursuivre son chemin, elle le savait, mais une force obscure la forçait à rester sur place, un peu à l'abri de la pluie sous les arbres qui bordaient la rue. Un léger mouvement près de la porte d'entrée d'Eunice Blanchard ne tarda pas à la récompenser de son attente. Elle se déplaça légèrement afin de mieux voir. C'était Lang. Il venait sûrement d'arriver, calcula-t-elle, car il atteignait juste la maison et frappait.

Quelques instants plus tard, une femme ouvrit grand la porte. Elle était fine, élancée, avec de superbes cheveux très noirs. Elle portait une élégante tunique de soie blanche sur un pantalon rouge vif. Nicole se trouvait trop loin pour bien distinguer les traits de son visage, mais à la manière dont elle accueillit le visiteur, elle l'identifia aisément. Dans un ample mouvement des larges manches, deux bras se tendirent vers Lang, se nouèrent autour de son cou et des lèvres écarlates s'unirent aux siennes dans un long baiser passionné.

Nicole se détourna violemment et s'enfuit en courant. La douleur dans sa poitrine était devenue lancinante, et elle se reprocha soudain amèrement d'avoir espionné cette scène d'amour. Elle était bien punie. A quoi s'était-elle attendu ? S'était-elle imaginé que Lang et Eunice Blanchard allaient se serrer la main ?

Elle ne parvint pas à chasser de son esprit les images qu'elle avait surprises. Lorsqu'Eric rentra après ses cours, plus tard dans l'après-midi, elles la hantaient encore. Dans l'espoir de se distraire, elle accepta son invitation à dîner. Les deux fois précédentes, elle avait refusé, mais aujourd'hui une compagnie s'avérait nécessaire pour l'aider à se ressaisir. Elle comptait sur un bon repas, un peu de vin et une conversation amicale afin d'oublier.

Ils se rendirent dans le meilleur des deux restaurants italiens de Nullegai. Ils y commandèrent un plat délicieux nommé *saltimbocca*. Il s'agissait de tranches de veau et de jambon fumé très fines, garnies d'une feuille de sauge et roulées. Elles étaient servies avec du riz au safran et des épinards. Une excellente bouteille de chianti accompagna le dîner. Le confort des lieux et le goût exquis du mets procurèrent à Nicole une certaine détente physique. Toutefois, son esprit ne trouvait pas le repos. D'insupportables visions y revenaient sans cesse et, dans ses efforts pour s'en délivrer, la jeune fille manifesta à plusieurs reprises de l'énervement à l'égard d'Eric. Lorsque, pour la troisième fois, elle prononça des paroles un peu vives, elle s'excusa :

— Je vous demande pardon, Eric, je ne suis pas une interlocutrice très agréable ce soir.

Elle lui adressa un sourire navré auquel il répondit par un regard chaleureux et plein de compassion.

— Je ne me plains pas.

— Vous devriez. Je me conduis très mal.

— Vous êtes contrariée, je suppose, parce que vos élèves n'ont pas pu s'entraîner cet après-midi. Sachant que les premières compétitions ont lieu demain, je vous comprends parfaitement.

— Ce n'est pas dramatique, assura Nicole. Ils se débrouilleront quand même très bien.

— Avez-vous déjà repéré de futurs champions ? s'enquit-il aimablement.

— Je ne m'avancerai pas jusque-là, répliqua-t-elle sur le même ton. J'ai toutefois un ou deux élèves qui pourraient réussir s'ils persévéraient.

— Et vous, pourquoi ne vous êtes-vous pas lancée dans la compétition ? questionna Eric. Vos capacités vous l'auraient permis.

— Non, je ne le crois pas, objecta-t-elle. Par ailleurs, je m'intéresse davantage à l'enseignement qu'à la pratique de la natation. Oh, j'aime nager, bien sûr, mais je dois avouer que lorsque je travaillais pour devenir professeur, toutes ces longueurs de bassin qu'il me fallait parcourir finissaient par m'ennuyer !

— Dans un sens, tant mieux. Vous avez gardé au moins tout le charme de votre silhouette féminine. Vous n'avez pas la carrure impressionnante de certaines sportives.

— Assez parlé de moi ! lança-t-elle en évitant le regard franchement admiratif de son interlocuteur. Qu'est-ce qui vous a donné envie d'entraîner les enfants à la natation pendant vos loisirs ?

— Je suis un peu comme vous, déclara-t-il. J'adore le sport, mais je ne suis pas fait pour les compétitions. Comme disait mon professeur : « Vous possédez le style mais pas la vitesse ! »

Eric émit un petit rire et poursuivit :

— Après mes études pour devenir instituteur, j'ai jugé normal de suivre mes élèves hors de la classe dans des activités comme la natation. J'aime travailler avec les enfants. Ils sont capables de prodiges.

— N'est-ce pas ? lança Nicole avec enthousiasme.

Et soudain, une ride barra son front. Elle venait de se souvenir d'un enfant qui ne méritait pas ce compliment.

— Qu'y a-t-il ? interrogea Eric en voyant son air sombre. Ai-je dit une bêtise ?

— Non, pas du tout, assura-t-elle avec un sourire forcé. Je pensais à Gervais.

— Et alors?

— Oh, rien d'important! Il est simplement venu pour sa première leçon hier après-midi, et je désespère de lui faire accomplir le moindre progrès. Je n'ai jamais vu un enfant de cet âge échouer comme lui sur toute la ligne. Il ne comprend absolument rien.

— A votre place, je ne m'inquiéterais pas trop, conseilla Eric. Gervais estime avoir droit à un traitement de faveur en raison de la position sociale de sa famille. Et lorsqu'il ne le reçoit pas, il perd tous ses moyens.

Nicole n'adhéra pas tout à fait à cette opinion. Pas une seule fois durant tout le cours, elle n'avait observé le moindre fléchissement dans l'attitude pleine d'assurance de Gervais Blanchard.

— Ce n'était pas le cas, déclara-t-elle. Gervais bénéficiait des avantages d'un cours particulier. Quel meilleur traitement peut-il espérer?

Les lèvres en avant dans une moue songeuse, Eric réfléchit un instant et haussa les épaules.

— Pourquoi ne transformeriez-vous pas radicalement ses conditions d'enseignement alors? Proposez-lui de se joindre à l'un de vos groupes. Vous verrez bien le résultat.

Nicole arbora une expression sceptique.

— J'ai essayé samedi dernier, mais il n'a cessé de m'opposer sa formule magique. « Ma mère dit », il n'a que ces trois mots à la bouche! Personnellement, j'estime qu'il travaillerait mieux au sein d'un groupe. L'émulation et la comparaison avec ses camarades lui feraient beaucoup de bien.

— Je suis de votre avis.

Eric et Nicole passèrent ensuite à d'autres sujets de conversation. Le jeune homme évoqua les autres villes où il avait enseigné, puis chacun parla de sa famille, et le dialogue alla bon train.

Lorsqu'ils quittèrent le restaurant, il ne pleuvait plus. Les nuages disparaissaient progressivement du ciel couleur d'encre, révélant le scintillement de quelques étoiles. Nicole et Eric décidèrent de rentrer à pied au lieu de reprendre un taxi. La maison des sœurs Guthrie ne se trouvait pas très loin, et l'air frais sentait bon la pluie et le parfum avivé des fleurs.

A la porte de la chambre de Nicole, Eric prit la jeune fille dans ses bras et l'embrassa avec beaucoup de tendresse. Elle ne protesta pas. Il s'était montré aimable et indulgent envers elle pendant toute la soirée, et elle se sentait un peu coupable de s'être servie de lui pour essayer d'oublier ses problèmes. Ses lèvres douces ne suscitèrent toutefois aucune réaction passionnée de sa part, et lorsqu'elle s'écarta enfin de lui, elle n'éprouvait qu'un paisible sentiment d'amitié.

Durant toute la journée du mercredi, elle fut très nerveuse. Elle ne cessait de se demander si elle verrait Lang à la piscine à l'occasion des compétitions prévues pour le soir. Sa présence, en tant que président du club, n'était pas indispensable à l'occasion de telles manifestations. Comme il habitait assez loin de Nullegai, elle n'aurait pas été surprise par son absence. Et pourtant, il vint. Ils ne s'étaient plus rencontrés depuis ce fameux dimanche si mouvementé, et Nicole n'était pas très rassurée à l'idée d'avoir à affronter l'homme qu'elle avait poussé dans l'eau. S'il le désirait, il pouvait aisément lui rendre la vie impossible dans son travail. Heureusement, ce mercredi tout au moins, elle n'avait pas grand-chose à craindre. Devant s'occuper des nageurs, elle bénéficiait d'un prétexte tout trouvé pour éviter Lang au maximum. Si elle n'avait pas été soutenue par cette pensée, elle n'aurait peut-être pas eu le courage d'assister aux compétitions. Sa peur s'avérait si grande qu'elle aurait été capable de se prétendre malade pour différer sa confrontation avec le président du club.

Mais en l'occurrence, elle fut si absorbée à préparer les enfants qu'elle ne s'aperçut même pas de l'arrivée de Lang. Elle ne se rendit compte de sa présence que bien après, en détachant enfin les yeux du bloc où elle avait noté le nom des concurrents. Elle découvrit avec effroi son imposante silhouette à quelques mètres d'elle. Par chance, il lui tournait le dos et discutait avec des personnalités locales. En se mordillant les lèvres d'anxiété, Nicole baissa vite la tête sur le bloc, et elle n'osa plus la relever avant d'avoir inscrit le dernier nageur.

Les lignes étaient en place et, par haut-parleur, Rod Barker invitait déjà les huit premiers concurrents à se présenter. Nicole courut jusqu'à la marque des trente mètres. Elle tenait à voir comment allait se comporter Rhonda. Dès le départ, aucun doute ne fut permis. La gagnante serait l'agile fillette. Elle plongea avec beaucoup d'assurance et ne perdit pas de temps en effectuant son demi-tour. A l'arrivée, elle vit qu'elle avait cinq bons mètres d'avance sur le concurrent le plus proche. Un grand sourire illumina alors son visage, et elle attendit impatiemment les autres pour connaître son temps. Nicole nota rapidement les performances de tous les participants, et Rod demanda aux enfants de quitter le bassin.

— Combien, Miss Lockwood, combien ? s'écria Rhonda très excitée, en accourant vers elle.

— Vingt-sept secondes quatre dixièmes, répondit Nicole en souriant à la petite figure extatique. C'était très bien. On ne t'autorisera plus à concourir sur cette distance, ajouta-t-elle moins gaiement, tu es trop forte.

— Tant pis, répliqua aussitôt Rhonda. Je veux faire des parcours plus longs.

Cet enthousiasme à toute épreuve ramena le sourire

sur les lèvres de Nicole. Ensuite, elle reprit son bloc pour renseigner les autres sur leur temps.

Les épreuves se succédèrent avec une organisation parfaite tout au long de la soirée. Nicole fut ravie, car la plupart de ses élèves réussirent comme elle l'avait espéré. Pour eux aussi, ces compétitions constituaient la récompense de bien des efforts.

A aucun moment, Nicole ne s'était trouvée face à face avec Lang. A plusieurs reprises cependant, elle avait eu conscience de sa présence et s'était, malgré elle, affolée. La plupart du temps, il se tint sur le bord opposé de la piscine, et elle en fut soulagée. Mais lorsque la dernière épreuve fut terminée et le matériel rangé, la situation changea. De nombreux enfants étaient déjà partis avec leurs parents. Puis les derniers participants et les derniers spectateurs franchirent le portail de la piscine, et Rod Barker alla fermer derrière eux. A partir de cet instant, il ne fut plus possible à Nicole de feindre d'ignorer la présence de son ennemi.

— Bonsoir, Lang, fit-elle sur le ton le plus neutre possible, en s'assurant qu'Eric restait bien auprès d'elle.

Le jeune homme s'était offert en tant que chronométreur pendant les épreuves et à présent, il pouvait lui servir de protection.

— Bonsoir, Nicole, lança Lang sans s'approcher d'elle.

Il resta auprès de l'homme avec lequel il bavardait et ajouta d'une voix presque dure :

— J'ai un message pour vous de la part de votre père, alors ne partez pas tout de suite, s'il vous plaît.

Quelle malchance ! Elle aurait vraiment mieux fait de se contenter de le saluer d'un signe et de poursuivre très vite son chemin.

— Ne vous retardez pas, monsieur Nicholls, dit-il à Eric. Je raccompagnerai Miss Lockwood.

— Mais non, attendez, Eric! jeta-t-elle en fusillant Lang du regard.

Comment osait-il prendre de telles initiatives?

— Je suis sûre que le message de mon père est très bref. Je vous écoute.

— Il est très long, au contraire, riposta-t-il immédiatement.

Avec un profond soupir de mécontentement, Nicole se résigna à congédier l'homme qui était patiemment resté à côté d'elle.

— Je ne veux pas vous retenir, Eric. Pardonnez-moi, je vous verrai plus tard.

Pas beaucoup plus tard, songea-t-elle en fulminant intérieurement, car son entretien avec Lang ne durerait pas une minute de plus que le strict nécessaire.

Eric ne trouva apparemment rien à rediré et sourit aimablement.

— Entendu, je vais préparer du café en vous attendant.

— Volontiers, approuva-t-elle. Je n'ai pas eu le temps d'en boire après dîner.

— A tout de suite! lança-t-il avec un dernier sourire.

Il esquissa un vague salut à l'intention de Lang et de son interlocuteur, et se dirigea vers la sortie.

Lang fit alors les présentations, et Nicole découvrit qu'il s'entretenait avec le trésorier du club, Clive Waterhouse. Comme ils traitaient de sujets auxquels elle ne connaissait rien, elle ne tarda pas à perdre le fil de la conversation. Les deux hommes auraient bien pu choisir un autre moment pour débattre de questions aussi rébarbatives. Ils se montrèrent enfin disposés à se séparer, et Nicole souhaita avec soulagement une bonne nuit au trésorier.

— Etes-vous sûr d'avoir du temps pour moi? lança-t-elle sur un ton agressif dès qu'elle se trouva seule avec Lang.

— Cela me coûtera un effort surhumain, déclara-t-il

très ironiquement. Mais si vous ne voulez pas savoir ce que votre père m'a chargé de vous dire...

Il s'interrompit exprès au milieu de sa phrase et fit mine de se diriger vers le parking où était garée sa voiture.

— Ah non ! s'écria Nicole en se plantant courageusement en travers de son chemin. Vous ne m'aurez pas fait attendre tout ce temps pour partir sans rien me dire !

— Et qui me retiendra ? Eric Nicholls ? Vous oubliez qu'il est allé préparer le café ! « Je vais préparer du café en vous attendant », répéta-t-il en imitant méchamment le jeune homme. Comme il se montre obligeant envers vous !

— Je ne peux pas vous faire le même compliment ! riposta Nicole. Il n'y a pas de quoi se moquer d'Eric parce que lui au moins connaît la politesse.

— La politesse ! Que dois-je comprendre ? Le jugez-vous poli parce qu'il vous fait du café en espérant ensuite vous attirer dans son lit ?

Tremblante de rage, Nicole cria :

— Que racontez-vous ?... D'ailleurs, cela n'a aucune importance, aucune ! Mes affaires ne vous regardent pas ! Vous n'êtes rien pour moi, Lang, absolument rien !

Elle avait été tendue toute la journée et cette fois, c'en était trop. Elle n'était pas capable de supporter à cette heure la façon dont il jouait avec ses nerfs. Se détournant violemment, elle s'enfuit en courant. Les larmes ruisselaient sur son visage. Lorsqu'elle passa près de la voiture de Lang, elle entendit ses pas juste derrière elle. Elle s'immobilisa soudain et lui fit face, la respiration rauque et haletante, les poings serrés.

— Laissez-moi, Lang, laissez-moi ! gémit-elle. Je ne veux plus vous voir, je ne veux plus écouter vos odieuses insinuations ! Vous n'avez pas de leçon à me donner ! Laissez-moi tranquille, c'est tout ce que je vous demande !

— Vous croyez que je vais vous laisser dans cet état ! s'exclama-t-il violemment.

Ses deux mains se tendirent vers Nicole, emprisonnèrent sa tête, et de ses pouces, il entreprit d'effacer ses larmes.

— Le cher Nicholls va s'imaginer…

— Qu'importe ce que pensera Eric ! Qu'importe ce que penseraient les autres hommes ! Je vous hais tous ! sanglota-t-elle. Et ne me touchez pas !

Elle essaya de se dégager.

— Vous êtes tous des menteurs, seulement occupés à chercher vos viles petites satisfactions !

Comme Lang ne la lâchait toujours pas, elle reprit plus fort :

— Je vous ai dit de ne pas me toucher !

Elle se mit à lui marteler la poitrine de ses poings.

— Calmez-vous, Nicky, pour l'amour de Dieu !

Il immobilisa ses deux poignets d'une seule main et de l'autre, il parvint à ouvrir la portière de sa voiture.

— Montez ! ordonna-t-il. Voyant qu'elle n'obéissait pas, il poussa son corps chancelant sur le siège arrière. Ils s'installa ensuite auprès d'elle et, claquant la portière, il la serra étroitement contre lui sans lui donner la moindre possibilité de se débattre. Lorsque Nicole admit enfin qu'elle ne pouvait pas s'enfuir, elle consentit à se laisser aller contre sa large poitrine et, épuisée, elle pleura un long moment.

Quand le flot de larmes se tarit, Lang baissa vers elle un regard scrutateur et demanda :

— Là, vous sentez-vous mieux à présent ?

Elle renifla et hocha la tête en tentant de s'arracher à cette proximité troublante.

— Pardonnez-moi, fit-elle d'une voix tremblante sans parvenir à le regarder dans les yeux. Je me suis conduite d'une façon vraiment ridicule.

— Non, on sent seulement qu'un homme vous a fait beaucoup de mal. Souffrez-vous encore à cause de lui ?

« Pas autant qu'à cause de vous », répondit-elle intérieurement. Et tout haut, elle déclara :

— Je souffre encore, oui.

Lang poussa un soupir et lissa d'un geste doux les cheveux ébouriffés de Nicole. Ses doigts effleurèrent délicatement le visage bouffi de pleurs.

— Il ne mérite pas que vous pensiez tant à lui, murmura-t-il.

— Non, accorda-t-elle d'une voix frémissante.

Le contact de ses doigts la faisait frissonner. Finalement, elle se décida à le regarder, ses yeux bleus cherchant avec appréhension les siens.

— Lang, je...

A la vue de son expression, elle ne termina pas sa phrase. Elle se mordit fébrilement les lèvres.

— Oh, Lang ! s'écria-t-elle finalement, se retrouvant soudain sans défense tandis qu'il l'attirait de nouveau contre lui.

Il l'embrassa d'abord tendrement, comme pour la réconforter, lui donner du courage. Mais comme elle répondait avec un total abandon à l'irrésistible pression de sa bouche, il devint plus ardent. Ses mains descendirent jusqu'à la taille de Nicole, l'amenant à épouser son corps, et la jeune fille se sentit fondre contre lui. De tout son être, elle aspirait à une étreinte plus absolue. Elle découvrit que plus personne à part cet homme n'avait compté pour elle depuis le jour où elle l'avait rencontré. Et le cœur de Lang, dont elle percevait les battements forts et désordonnés, indiquaient qu'elle ne lui était pas indifférente non plus.

Lorsque ses lèvres se détachèrent des siennes, elle laissa échapper un gémissement de déception. L'instant suivant, elles se posaient près de son oreille, traçant un chemin de sensualité jusqu'au bas de sa gorge. Paralysée par le désir, Nicole permit à Lang de défaire un à un les boutons de son chemisier et de la couvrir de caresses.

— Que vous êtes belle ! chuchota-t-il en continuant à l'étourdir de baisers.

Nicole tressaillait violemment sous la force des émotions qu'il semblait pouvoir si facilement susciter en elle.

Elle ne comprenait pas comment elle avait pu, malgré ses résolutions, s'éprendre de Lang après le coup cruel que lui avait porté Julian. Mais il en était ainsi, elle l'aimait. Pourtant, dans l'esprit de Nicole, l'amour était indissolublement lié au mariage et, en l'espace de quelques secondes, la confrontation de ces deux termes la plaça devant une réalité épouvantable. Lang allait se marier avec Eunice Blanchard ! N'avait-elle pas été personnellement témoin la veille d'une scène qui le prouvait amplement ? Cette pensée fit à la jeune fille l'effet d'une douche froide. Elle se raidit subitement, morte de honte. Comment avait-elle pu oublier si aisément que Lang était engagé envers une autre femme ? Comment avait-elle pu le laisser prendre de telles libertés avec elle ?

Dès qu'il perçut un regain de résistance, il releva la tête.

— Qu'y a-t-il, Nicky ? s'étonna-t-il.

— Rien.

Elle se dégagea doucement mais fermement, et reboutonna avec des doigts malhabiles son chemisier.

— J'ai eu la bêtise d'oublier pendant un bref moment mes propres observations, ajouta-t-elle d'une voix mal assurée.

Lang n'esquissa aucun geste pour la retenir, mais son regard devint particulièrement vigilant.

— Quelles sont ces observations ?

— Vous aussi, vous avez oublié ? railla-t-elle.

— Quoi donc ?

— Que vous êtes comme tous les autres hommes,

répliqua-t-elle. Vous êtes tous des menteurs sans conscience !

Il la secoua vigoureusement.

— De quoi diable parlez-vous ?

Elle dégagea énergiquement son bras en puisant sa force dans l'humiliation et la colère.

— Je vous l'ai déjà dit, Lang… Ne me touchez pas !

— Il est un peu tard pour me donner cet ordre, fit-il sur un ton intolérablement moqueur.

Les joues de Nicole s'empourprèrent, et elle perdit contenance. Mais, lorsqu'elle releva les yeux, elle s'était ressaisie.

— A propos de ce que je vous disais…

Elle haussa les épaules et lui jeta un regard plein de mépris.

— Si cela vous amuse de jouer les ignorants, je n'y vois pas d'inconvénient. Mais ne comptez pas sur moi pour pourvoir aux caprices de votre vanité masculine. Non, vous ne m'aurez pas !

Sa voix résonna avec une profonde conviction, puis elle ouvrit la portière et sortit rapidement de la voiture. Se penchant vers Lang, elle ajouta :

— Allez donc faire votre numéro de charme à une autre femme !

Sans lui laisser le temps de répondre, elle claqua la portière et s'éloigna la tête haute. En apparence parfaitement maîtresse d'elle-même, elle se sentait pourtant complètement déchirée et anéantie.

Comment avait-elle pu s'abandonner si passionnément aux caresses de cet homme ? C'était incompréhensible. S'il lui restait un peu de dignité, c'était parce que Lang ne connaissait pas la profondeur de ses sentiments. Se serait-il douté de ce qu'elle éprouvait pour lui, son humiliation aurait été sans bornes.

7

C'est seulement en se rendant à son travail le lendemain matin que Nicole prit conscience de ne pas avoir reçu le message dont son père avait chargé Lang. Elle essaya de lui téléphoner lors de la pause de midi. Comme il ne répondait pas, elle se rappela qu'il prenait la plupart de ses repas chez Lang. Elle décida de recommencer dans la soirée, et d'insister jusqu'à ce qu'il fût chez lui. Elle ne se risqua pas à le joindre chez Lang, ayant bien trop peur de devoir parler à ce dernier si par malchance il prenait la communication.

Heureusement, le père de Nicole réintégra son foyer peu de temps après le dîner. Il se montra un peu étonné d'entendre sa fille, et elle s'empressa de lui expliquer pourquoi elle appelait :

— Lang avait un message de ta part hier soir, mais il...

Elle ne savait comment tourner la fin de sa phrase.

— ... il n'a pas eu le temps de me le donner.

Bryce éclata de rire.

— Ce n'est pas une raison pour te mettre dans un état pareil. Il devait simplement t'avertir que je passerai te chercher samedi prochain et que je te ramènerai ici pour le week-end.

— C'est tout !

— Pourquoi ?

Elle était sûre qu'en cet instant son père fronçait les sourcils.

— T'attendais-tu à autre chose ?

La jeune fille serra convulsivement les poings. Si elle ne s'était pas retenue, elle aurait hurlé. L'inoubliable scène de la nuit dernière aurait pu être évitée ! Lang lui avait laissé entendre qu'il avait des informations importantes à lui transmettre. Il avait misé sur sa crédulité, il s'était moqué d'elle ! Un flot de rage la submergea. Au prix d'un immense effort, elle parvint enfin à répondre à la question de son père sur un ton presque normal :

— Non, non, je ne m'attendais à rien de particulier. Je pensais seulement que tu étais au courant des fêtes de Franklyn. Le Club de natation de Nullegai y participe, et je comptais t'inviter à venir avec nous.

Elle avait complètement oublié ces fêtes, et elle s'en souvenait juste à point pour sauver la situation.

Très gentiment, Bryce lui expliqua :

— Non, ma chérie, ne compte pas sur moi, à moins que tu ne sois inscrite toi-même pour des compétitions. Tu sais que je n'aime pas ce genre de manifestations. Ce sont des activités qui te conviennent mieux qu'à moi. Si je comprends bien, je ne te verrai pas samedi ?

— Non, et j'en suis désolée. Si tu ne viens pas, nous ne nous verrons pas.

Une pensée se présenta brutalement à son esprit :

— Sais-tu si... si Lang se rendra à Franklyn ?

— Je ne le crois pas, répliqua calmement Bryce, et sa fille poussa un soupir de soulagement. Il attend des visiteurs qui doivent lui acheter des bêtes. Il sera très occupé.

— Parfait, fit Nicole en hochant la tête d'une manière satisfaite. Et dimanche, seras-tu libre ?

— Certainement.

— Dans ce cas, je ne veux pas que tu fasses un si long trajet pour une seule journée. Je pourrais essayer de trouver quelqu'un qui parte dans la direction de

Yallambee. Ou alors tu me rejoins à Nullegai, et nous y restons ensemble ? proposa-t-elle avec enthousiasme.

Elle priait pour que son père retînt la seconde idée. Moins elle irait à Yallambee, moins elle aurait de chances de rencontrer Lang, calculait-elle.

— Et que ferons-nous à Nullegai ? s'enquit Bryce sur un ton plein d'humour.

Nicole feignit de le réprimander :

— Inutile de faire de l'ironie. Il y a des curiosités dignes d'intérêt dans cette ville. Je me suis justement renseignée. Ecoute-moi bien !

Elle émit un petit rire.

— Il y a des grottes très pittoresques, paraît-il, sur la route qui mène à la montagne, et le parc national, bien sûr, où on peut faire des randonnées pédestres ou équestres, au choix ! Ida m'a recommandé un endroit à quelques kilomètres seulement qui est le paradis des pêcheurs... et tu aimes pêcher, n'est-ce pas ? Dois-je continuer à te vanter les charmes de la région ?

— Non, c'est suffisant, assura Bryce. Que choisis-tu dans tout cela ?

— Puisque c'est toi qui te déranges, à toi l'honneur ! offrit-elle généreusement, puis elle ajouta d'un air rusé : Je m'occuperai du pique-nique et des appâts !

Bryce rit de bon cœur.

— Tu connais vraiment bien les goûts de ton père, ma petite fille, mais peut-être ferions-nous mieux de voir quel temps il fera avant de prendre une décision. On ne peut jurer de rien en cette saison.

— Pourrait-il pleuvoir comme mardi dernier ? J'espère bien que non. C'était une journée si maussade.

Comme ils étaient parvenus à un accord, ils ne tardèrent pas à se quitter, et Nicole revint à pas lents vers sa chambre. Elle passait mentalement en revue les différentes étapes de la conversation. Jamais encore dans sa carrière, il ne lui était arrivé d'oublier une manifestation comme les fêtes de Franklyn. Elle s'était toujours félicitée de l'attention et de l'intérêt qu'elle portait à son travail. Il n'était pas question de permettre à un homme de lui faire perdre la tête. Elle allait le chasser de ses pensées et de son cœur. Elle y arriverait ! N'avait-elle pas réussi à en chasser Julian ?

Pour sa plus grande satisfaction, les nageurs de Nullegai se distinguèrent pendant les festivités de Franklyn. Ils n'emportèrent aucune des premières places au cours des épreuves organisées, mais ils réussirent du moins à se classer toujours parmi les meilleurs, et ils se montrèrent en progrès par rapport aux années précédentes. Puisqu'ils disposaient à présent de leur propre piscine et d'un professeur, tous les espoirs étaient permis pour l'avenir. D'ici quelques mois déjà, songeait Nicole, s'ils poursuivaient leurs efforts, ils deviendraient des concurrents dangereux pour les autres clubs.

Des semaines passèrent, et le thermomètre monta. Lors de ses week-ends à Yallambee, Nicole voyait les immenses champs de blé se colorer d'or sous les rayons brûlants du soleil. Bientôt, les énormes moissonneuses y entreraient en action.

Durant ses visites, la jeune fille se tenait prudemment à l'écart de la maison de Lang. Elle réduisait ainsi ses contacts avec lui au strict minimum. Elle le voyait d'ordinaire chaque mercredi à l'occasion des épreuves de natation hebdomadaires. Leurs rencontres étaient brèves, et Nicole parvenait toujours à se conduire d'une manière détachée et impersonnelle, dissimulant ses sentiments. Ceux de Lang n'étaient guère plus faciles à deviner. Il se montrait toujours courtois, mais faisait preuve d'une certaine froideur. Elle en conclut qu'il ne se souciait pas de l'état de leurs relations. Il n'éprouvait sûrement pas la moindre envie de chercher à les améliorer. Nicole ne se risquait plus à le provoquer, et il se contentait probablement de ce résultat. Rien d'autre ne l'intéressait.

En vérité, cette situation convenait aussi à la jeune fille. Etant donné leurs échanges très limités, son agressivité à l'égard de Lang était pratiquement tombée. La tendre émotion qui la remplaçait l'embarrassait hélas encore plus, et celle-ci refusait de s'estomper. Elle aimait Lang. Et cet amour, pensait-elle, le cœur lourd de tristesse, elle n'en voulait pas. Elle le repoussait comme Lang l'aurait fait s'il en avait eu connaissance. Son intensité devenait pourtant presque intolérable par moments. Elle avait cru qu'il finirait par décroître, puis disparaître complètement. Mais il survivait, puisant sa force à une source mystérieuse, ne pâtissant apparemment pas des maigres rapports qui existaient entre Nicole et Lang. Chaque mardi, la jeune fille s'efforçait de se convaincre qu'elle n'éprouvait plus rien, qu'elle partageait l'indifférence de Lang. Puis le mercredi soir arrivait et, infailliblement, la vérité éclatait de nouveau. Elle avait tenté de se bercer d'illusions, et l'évidence de son amour la bouleversait, peut-être même plus forte chaque semaine que la semaine précédente.

Dans l'espoir de vaincre la souffrance que lui infligeaient ses sentiments, Nicole se jeta à corps perdu dans le travail. Souvent, elle restait à la piscine au-delà de ses horaires. Tandis que ses élèves tiraient un considérable bénéfice de ces heures supplémentaires, elle dépérissait au contraire à vue d'œil. Elle maigrissait, et un jour, Rod jugea de son devoir de lui parler. Il lui conseilla de modérer son rythme de travail.

Elle lui donna raison dans une certaine mesure, mais ne lui obéit pas pour autant. Considérant les satisfactions que lui procurait son métier, supérieures à la perte de quelques kilos, elle ne modifia pas beaucoup son emploi du temps. Il n'y avait qu'une ombre sur le tableau de ses succès professionnels : Gervais Blanchard. Elle avait beau lui montrer l'exemple et lui prodiguer des explications avec une patience infinie, il progressait à peine. Certains jours, elle croyait discerner des lueurs de compréhension et elle se prenait à espérer qu'il était enfin sur la bonne voie. Le lendemain, lorsqu'il revenait, elle devait tout reprendre au commencement. Elle n'avait jamais connu d'élève aussi décourageant.

Un après-midi, elle eut la surprise de voir Gervais arriver en compagnie de sa mère. Nicole avait beaucoup entendu parler d'Eunice Blanchard, mais c'était la première fois qu'elle la rencontrait. Pendant que l'enfant se dirigeait vers le vestiaire, la jeune femme s'approcha d'elle. Vêtue d'une robe de soie rose très élégante et d'un chapeau blanc à larges bords, elle était fidèle à sa renommée. Tout en elle exprimait la richesse, la sophistication et l'arrogance. Nicole la trouva un peu ridicule aussi dans son manque de simplicité, et elle s'accrocha à cette idée pour se donner du courage.

Plus grande qu'elle, la mère de Gervais la toisa de haut avant de s'écrier en fronçant les sourcils :

— Ne me dites pas que vous êtes le professeur de mon fils !

Cette entrée en matière déconcerta Nicole. Serrant les dents, elle parvint à répondre poliment :

— Je suis Nicole Lockwood. Que puis-je faire pour vous, madame Blanchard ?

— Ah, vous me connaissez !

Cette idée sembla lui causer un plaisir démesuré. Un petit pli ironique aux lèvres, Nicole s'empressa de rabattre un peu son orgueil.

— J'ai deviné qui vous étiez en vous voyant entrer avec Gervais.

Les yeux noirs l'examinaient, la disséquaient presque, avec une sorte de violence :

— Vous avez l'air d'une étudiante. J'avais cru que vous étiez diplômée.

— Je le suis, répliqua vivement la jeune fille.

Elle pardonnait toutefois à son interlocutrice sa méprise. Avec ses cheveux réunis en deux couettes au-dessus de ses oreilles afin de ne pas la gêner, elle ne présentait pas du tout l'apparence d'une femme adulte.

— Tous mes diplômes et mes certificats se trouvent dans le bureau. Désirez-vous les voir ?

Eunice Blanchard repoussa la suggestion d'un mouvement d'épaules dédaigneux.

— Cela ne changerait rien. Si vous êtes incapable de transmettre les connaissances que vous avez acquises, à quoi servent vos diplômes ?

— Est-ce une affirmation ou une simple supposition, madame Blanchard ?

— Oh non, Miss Lockwood, il ne s'agit pas d'une simple supposition. Je suis convaincue de ce que j'affirme ! lança-t-elle avec un insolent mépris. Comment pourrait-il en être autrement ? Mon fils me dit que vous ne lui avez rien appris.

Les joues de Nicole s'enflammèrent devant une telle accusation. Et pourtant, elle était bien obligée d'admettre qu'elle n'avait obtenu aucun résultat avec Gervais.

— Oui, il y a du vrai dans ce qu'il vous a dit, admit-elle. Il devrait, à mon avis, se joindre à un groupe. Les cours lui profiteraient beaucoup plus dans ces conditions. Lorsque plusieurs enfants sont ensemble, ils...

— Essayeriez-vous de rejeter la responsabilité de votre échec sur ma décision de payer à mon fils des cours particuliers ?

La main sur la poitrine, Eunice Blanchard avait pris une pose théâtrale pour exprimer son indignation.

— Pas du tout ! protesta Nicole. J'émets seulement l'opinion selon laquelle...

— Je serai franche, Miss Lockwood, vos opinions ne m'intéressent absolument pas, coupa encore une fois la jeune femme avec un mépris débordant. Une seule chose me préoccupe. Etes-vous, oui ou non, capable d'apprendre à nager à mon fils ? Si la tâche vous dépasse, ayez l'honnêteté de me l'avouer. Ainsi, je ne perdrai plus mon argent, et Gervais, son temps. Et je pourrai lui chercher un professeur plus compétent.

— C'est votre droit, accorda Nicole avec raideur. Mais si vous voulez bien me permettre de finir ma phrase, j'aimerais vous dire que je n'ai jamais eu un élève comme lui. Dans la majorité des cas, ceux qui rencontrent d'aussi grosses difficultés font d'énormes progrès en s'entraînant avec d'autres enfants.

— Dans la majorité des cas, Miss Lockwood ?

Eunice Blanchard haussa ses fins sourcils dessinés au crayon.

— Oui, soutint Nicole. Malheureusement, certains élèves restent complètement fermés à ce qu'on leur enseigne, surtout s'ils ne sont pas motivés.

Les lèvres très rouges esquissèrent une moue sarcastique.

— Alors là, vous êtes très habile. Vous venez de trouver une explication bien pratique pour masquer votre inaptitude professionnelle. Que croyez-vous ? Mon fils veut apprendre à nager. Il veut que M. Jamieson soit fier de lui !

Nicole reçut cette déclaration comme un coup de poignard en plein cœur. Avait-elle besoin d'entendre cette confirmation de l'intérêt que Lang portait à Eunice Blanchard ?

— Faut-il absolument que Gervais sache nager pour que Lang soit fier de lui ? se força-t-elle à demander.

— Ce qu'il faut à *Monsieur* Jamieson ne vous regarde pas, fit Eunice Blanchard sur un ton cinglant. Nous étions en train de parler de mon fils. Etes-vous, oui ou non, capable de lui apprendre à nager, ou dois-je m'adresser à quelqu'un d'autre ?

Ses capacités professionnelles étant mises en doute, Nicole ne pouvait pas rester sans réagir.

— Si, comme vous le prétendez, Gervais désire vraiment apprendre à nager, et bien oui, je suis capable de lui enseigner la natation, rétorqua-t-elle d'une voix glaciale. Mais j'impose mes conditions. J'exige que votre fils se joigne à un groupe.

Eunice Blanchard inclina la tête.

— Très bien, Miss Lockwood, je vous accorde vos conditions. J'espère, dans votre propre intérêt, qu'elles donneront de bons résultats. Sinon, je vous promets que vous ne ferez pas carrière à Nullegai. J'ai une grande influence dans cette ville, ne l'oubliez pas !

— Je m'en souviendrai, affirma sèchement Nicole.

Elle considéra son interlocutrice avec dégoût. Celle-ci la quitta brutalement, et elle la vit gratifier Rod Barker d'un sourire condescendant quand elle passa près de lui.

Au grand soulagement de Nicole, après une semaine d'entraînement en groupe, Gervais accomplit des progrès, minces certes, mais incontestables. Au moment où elle reprenait confiance, tout se gâta de nouveau pour une raison inexplicable. Pis encore, Gervais exerçait une mauvaise influence sur ses camarades. Il faisait le pitre, s'amusait à les éclabousser, et finissait par créer un beau désordre. Nicole croyait devenir folle, et les autres enfants ne tardèrent pas à se plaindre que la présence de Gervais perturbait leurs cours.

— Je ne sais plus quoi faire ! déclara Nicole en revenant chez les sœurs Guthrie avec Eric à la fin d'une séance particulièrement éprouvante. Il avait l'air de progresser et soudain, plus rien !

Elle fit claquer ses doigts.

— Il n'est de nouveau plus bon à rien. Je n'ai jamais eu affaire à un enfant comme lui !

Eric lui suggéra une solution radicale :

— A votre place, je renoncerai à m'occuper de lui. Personne n'attend de vous une réussite spectaculaire.

— Si, sa mère, affirma Nicole d'un air sombre. Elle

m'a menacée de ruiner ma carrière si son fils ne progressait pas.

— Elle est odieuse ! s'écria Eric. Cela ne m'étonne pas d'elle, je la reconnais bien là !

Ils firent quelques pas en silence, et le jeune homme reprit sur un ton d'encouragement :

— Encore faudrait-il qu'elle y arrive, et rien n'est moins sûr. Le comité a sûrement son mot à dire. Elle ne dispose pas d'arme absolue contre vous.

— Je n'en sais rien.

Nicole haussa les épaules dans un mouvement de désespoir.

— Si les membres du comité sont ses amis, elle obtiendra sans doute d'eux ce qu'elle voudra.

Chacun pour soi, ils réfléchirent à cette inquiétante perspective.

— Voudriez-vous que je fasse un essai avec Gervais ? offrit gentiment Eric.

La jeune fille secoua la tête et lui adressa un pauvre sourire.

— Non, merci, Eric. Je ne voudrais pas que vous vous occupiez de Gervais au détriment des enfants qui travaillent avec vous.

Le club avait en effet chargé le jeune homme d'entraîner des nageurs déjà expérimentés qui n'avaient plus besoin des conseils théoriques de Nicole.

— Alors qu'avez-vous l'intention de faire ? lui demanda-t-il.

— Je vais essayer d'avoir une conversation sérieuse avec Gervais. Chaque fois que je lui parle de natation, il se referme comme une huître. Il faudra que je trouve un moyen de vaincre ses résistances.

Elle émit un petit rire sans conviction.

— Et en attendant, je continue en priant pour éviter la catastrophe. Je n'ai pas le choix.

— Non, vous n'avez pas le choix, confirma gravement Eric, puis son visage s'éclaira car il crut avoir trouvé une solution. Vous pourriez peut-être demander à Lang Jamieson d'essayer de raisonner Gervais ? J'ai entendu des bruits selon lesquels il allait épouser prochainement la terrible Mme Blanchard. C'est peut-être une démarche à tenter, qu'en pensez-vous ?

— Non ! s'écria Nicole, horrifiée.

Demander à Lang d'intervenir dans ses affaires ! Il n'en était pas question ! Elle poursuivit sur un ton plus mesuré :

— Vous rendez-vous compte ? Le professeur allant pleurer dans le giron du président parce que l'un de ses élèves ne progresse pas ! De quoi aurais-je l'air ?

— Cela ne ferait pas très bon effet, reconnut Eric.

Deux semaines passèrent, et Nicole n'avait toujours pas résolu son problème. Deux semaines pendant lesquelles la jeune fille dut supporter les reproches d'Eunice Blanchard. Celle-ci avait décidé de venir constater par elle-même les progrès, ou plutôt le manque de progrès, de son fils. Le comité du Club de natation se réunissait le vendredi de la semaine suivante. Eunice Blanchard avait averti Nicole qu'elle assisterait à cette réunion.

— Vous pouvez compter sur ma présence, lui avait-elle dit sur un ton fielleux.

En conséquence, Nicole attendait ce jour avec une vive appréhension. Elle n'était pas seulement inquiète à cause d'Eunice Blanchard. L'impossibilité d'obtenir un résultat avec Gervais lui infligeait aussi une contrariété personnelle. De voir ses élèves devenir de bons nageurs lui avait toujours procuré une immense satisfaction et jusqu'à présent, aucun ne lui avait donné cet affreux sentiment d'échec.

Elle regardait le groupe terminer sa dernière longueur. Un à un, les enfants sortaient de l'eau et allaient voir leur temps sur le chronomètre qui se trouvait au bout du bassin. Nicole les envoya au vestiaire. Gervais arrivait bien sûr le dernier, en exécutant des mouvements qui ne ressemblaient à rien. Lorsqu'il quitta enfin le bassin, elle lui dit :

— C'est tout pour aujourd'hui, Gervais. Tu peux aller te rhabiller. M. Barker va fermer dans quelques minutes.

Il hocha la tête et s'éloigna. Au bout de quatre ou cinq pas, il se retourna, l'air hésitant.

— Miss Lockwood ?

— Oui.

Nicole était surprise. C'était la première fois qu'elle le voyait manquer d'assurance.

Il paraissait mal à l'aise, et ce sentiment était tout aussi nouveau chez lui.

— Ma mère dit qu'elle va vous faire mettre à la porte à cause de moi. Est-ce vrai ?

— Eh bien oui, je crois qu'elle veut essayer, admit sombrement Nicole.

— Je suis désolé, vous n'êtes pas responsable.

— Toi non plus, Gervais, alors ne t'inquiète pas. Nous n'avons pas réussi à travailler ensemble, c'est tout.

— Mais si, c'est ma faute ! protesta-t-il avec force. J'ai cru que si... que vous...

— Qu'est-ce que tu as cru ? questionna doucement Nicole, soudain très intéressée.

— J'ai cru que vous me renverriez si j'étais très mauvais, avoua-t-il dans un souffle.

— Alors tu le faisais exprès !

Elle était plus soulagée que fâchée par cet aveu. L'échec qu'elle essuyait avec Gervais avait fini par la faire douter de ses capacités de professeur.

— Mais pourquoi ne m'as-tu rien dit quand je t'ai demandé si tu avais vraiment envie d'apprendre ? s'enquit-elle. Cela nous aurait épargné à tous les deux bien de la peine.

— Si je vous l'avais dit, mon plan n'aurait pas réussi,

expliqua Gervais. Vous auriez annoncé la vérité à ma mère.

— Tu préférais que je joue ton jeu en te chassant de mes cours, n'est-ce pas?

N'osant pas répondre, le jeune garçon se contenta de hausser les épaules d'une manière expressive.

— Ma mère voulait que je nage assez bien pour pouvoir participer aux compétitions organisées par le club.

— Et si je comprends bien, tu n'en avais pas envie?

— Pas très. J'avais envie de...

— De quoi? fit Nicole avec toujours autant de douceur pour l'aider à parler.

— De faire du tennis, avoua-t-il, la tête basse.

Elle était stupéfaite. Tous ses problèmes venaient du fait que cet enfant s'intéressait à un autre sport!

— Et pourquoi ne ferais-tu pas du tennis si cela te tente?

Gervais lui jeta un regard éloquent.

— Lang Jamieson n'est pas président du Club de tennis, déclara-t-il sur un ton sec.

La jeune fille n'arrivait pas à se remettre de sa surprise.

— Tu veux dire que toute cette affaire avait pour but de faire plaisir à Lang?

— Exactement, confirma-t-il d'un air calme. Mais je n'avais pas prévu qu'elle tournerait ainsi. Je ne savais pas que ma mère s'en prendrait à vous.

Il parut soudain à nouveau tourmenté.

— Il n'est peut-être pas trop tard pour réparer les dégâts, affirma Nicole avec un sourire.

En se dirigeant vers la sortie de la piscine, elle demanda à l'enfant:

— Alors, sais-tu nager correctement en vérité?

Une rougeur de honte envahit le petit visage.

— Mieux que je ne l'ai fait jusqu'à présent en tout cas, reconnut l'enfant avec embarras.

Après bien des journées de doute, Nicole reprit enfin confiance en elle.

— Accepterais-tu de me montrer comment tu te débrouilles, un de ces jours ?

— Si vous voulez, accorda-t-il aussitôt. J'aime nager pour mon plaisir mais j'ai horreur de m'entraîner.

Il fit une grimace et, en arrivant à l'extrémité du bassin, il ajouta :

— Je suis vraiment désolé de vous avoir causé des ennuis, Miss Lockwood, et de... de m'être si mal conduit envers vous.

Il poussa un soupir et poursuivit d'un air songeur :

— Ma mère dit que je dois apprendre à plier les gens à ma volonté parce que la position sociale de ma famille à Nullegai m'en donne le droit mais... mais je ne me ferai jamais d'amis ainsi, Miss Lockwood, n'est-ce pas ?

— Non, Gervais.

Elle lui ébouriffa les cheveux dans un geste de sympathie. La leçon avait été dure pour un enfant aussi jeune, mais il en tirerait certainement un grand bénéfice.

— Les rapports entre les gens sont beaucoup plus agréables s'ils essayent de s'entraider au lieu de se dominer, affirma-t-elle.

— Je ne crois pas que ma mère serait d'accord avec vous !

Il éclata soudain de rire. Nicole le considéra avec étonnement. Comme une chenille se transformant en papillon, Gervais avait échangé son apparence hautaine contre un aspect beaucoup plus engageant.

Elle se garda cependant de tout commentaire à l'égard de Mme Blanchard. Son rôle n'était pas de critiquer ouvertement les parents de ses élèves.

— Et maintenant, lança-t-elle d'un air malicieux, qui va dire la vérité ? Veux-tu parler à ta mère ou souhaites-tu que je le fasse à ta place ?

Gervais sembla en proie à une vive hésitation, et il contempla sombrement le bout de ses pieds.

— Il vaut mieux que je lui parle.

— En es-tu sûr ?

Il hocha la tête et leva un bref instant les yeux vers Nicole.

— Oui. Je suis fautif, c'est donc à moi de lui parler.

Elle jugea cette décision très courageuse tandis qu'elle accompagnait l'enfant jusqu'au vestiaire. Elle rejoignit ensuite Rod Barker et Eric qui l'avaient attendue discrètement un peu plus loin. Eunice Blanchard n'allait sûrement pas être très contente en apprenant que son fils l'avait volontairement induite en erreur.

La réunion du Club de natation eut lieu dans le grand hall de la mairie. Nicole fut agréablement surprise en constatant que de nombreuses personnes s'étaient dérangées pour y assister. Leur présence constituait un élément favorable pour l'avenir du club. Lang était là, bien sûr, assis sur une estrade avec les autres responsables de l'organisation. Dans son complet de toile marron, avec sa chemise beige dont il avait laissé le premier bouton ouvert, il était d'une beauté saisissante, et Nicole en éprouvait un choc chaque fois qu'elle le regardait.

Quant à elle, elle tentait au contraire de se rendre invisible. Elle prit un siège tout à fait sur le côté dans une rangée du milieu. Au moment où elle sortait un bloc et un stylo de son sac pour prendre quelques notes si cela s'avérait utile, Eunice Blanchard fit son entrée. Elle portait ce soir-là un pantalon blanc de coupe très amincissante avec une veste de style tailleur assortie. En adressant de majestueux saluts à ceux qu'elle en estimait dignes, et en jetant des regards dédaigneux aux autres, elle se dirigea vers un siège de la première rangée.

A huit heures précises, le président ouvrit la séance en lisant l'ordre du jour et en excusant les absents. Nicole écouta avec intérêt les différents rapports, puis le président donna la parole à l'auditoire.

A peine le silence était-il retombé après son invitation, qu'Eunice Blanchard se dressait, droite comme la justice. De quoi avait-elle encore à se plaindre, maintenant que Nicole était hors de cause ? La jeune fille attendit ses paroles avec curiosité.

— Monsieur le Président, messieurs les membres du comité, commença-t-elle sur un ton impérieux exigeant l'attention, je voudrais que vous votiez le renvoi de Miss Lockwood, notre nouveau professeur, pour motif d'incompétence. Et je propose qu'on lui cherche sans tarder un remplaçant.

Nicole était trop ahurie pour réagir. Gervais ne lui avait-il donc rien dit ? Tous les regards se tournèrent vers la malheureuse jeune fille. De l'estrade, Lang déclara :

— Avant d'aller plus loin, Eunice, il faudrait que vous précisiez ce que vous reprochez à Miss Lockwood.

Tous les regards se portèrent à nouveau sur la virulente Eunice Blanchard.

— Je lui reproche tout, monsieur le Président ! lança-t-elle d'une manière presque théâtrale. Mon fils suit des cours avec Miss Lockwood depuis plusieurs semaines. Il s'agissait de cours particuliers et dernièrement, contre mon gré d'ailleurs, Miss Lockwood a décidé de l'intégrer à un groupe. Et pendant tout ce temps, il n'a accompli aucun progrès. Au contraire, je n'ai pas peur de dire qu'il a même perdu ce qu'il savait. J'affirme que cette personne ne possède pas les qualités requises. Mon fils est là pour le prouver. Il me semble urgent de lui retirer ses responsabilités afin de protéger les enfants de cette ville des méfaits de son enseignement.

Eunice Blanchard se rassit, et un silence consterné

plana quelques instants sur l'assistance. Puis, la voix de Lang s'éleva, impassible :

— Miss Lockwood, qu'avez-vous à répondre ? La parole est à vous.

— Merci.

Nicole se leva et s'agrippa au dossier de la chaise qui se trouvait devant elle. Une attaque si violente, si profondément calculée pour l'abattre, la laissait sans voix. Elle fit pourtant un effort :

— Pour me défendre, permettez-moi de dire que... que je crois...

— Monsieur le Président ! s'écria Eunice Blanchard, ne se souciant pas de l'interrompre. J'ai demandé le renvoi de Miss Lockwood et j'aimerais que vous appeliez les gens qui sont de mon avis à se manifester. Nous ne sommes pas là pour écouter les excuses que cette personne va inventer pour se disculper.

— Oh, taisez-vous un peu, Eunice, et laissez-nous entendre Miss Lockwood ! lança un homme de haute taille qui se dressa derrière la jeune femme. Nous connaissons votre version de l'histoire et maintenant, nous attendons la sienne.

Eunice Blanchard fit volte-face pour jeter à l'importun un regard meurtrier.

— J'ai le droit de savoir qui est de mon avis, fulminat-elle. Et n'essayez pas de me couper la parole, Bob Maher, ou je vous...

— Silence !

Le rappel à l'ordre de Lang claqua comme un coup de fouet. Eunice se tut, et il s'adressa de nouveau à Nicole.

— Nous vous écoutons, Miss Lockwood.

— Merci, répéta Nicole en s'éclaircissant la voix. Comme j'essayais de vous le dire, dans le cas de Gervais, il s'agit d'un manque d'intérêt. Il venait à la piscine sans avoir envie de suivre un entraînement. Il s'est volontairement montré très mauvais élève dans

138

l'espoir de se faire exclure de mon cours et de pouvoir se consacrer à un autre sport qu'il préfère à la natation.
. Eunice Blanchard s'esclaffa bruyamment afin d'exprimer son incrédulité.

— Je suis étonnée que vous ne m'ayez pas tenu ce langage quand je suis venue vous parler, Miss Lockwood!

— J'ai découvert la vérité cet après-midi seulement, madame Blanchard, répliqua aussitôt Nicole.

Un peu remise de son choc, elle était maintenant déterminée à se défendre vigoureusement. Même si elle perdait la partie, elle aurait la satisfaction de s'être battue.

— Cet après-midi! fit l'autre femme sur un ton méprisant. Je vous avais prévenue de mes intentions de soumettre votre cas à la réunion. Croyez-vous pouvoir nous duper avec cette invention de dernière minute?

— C'est la stricte vérité, soutint Nicole, tout en se rendant compte qu'Eunice jetait habilement le doute à son sujet.

— Je m'en porte garant! cria soudain une voix au fond de la salle.

Se retournant, Nicole aperçut Eric. Il s'était levé et venait courageusement à son secours.

— Nicole m'a souvent parlé des difficultés qu'elle rencontrait avec le jeune Gervais. Et c'est cet après-midi seulement qu'elle a découvert la clé du mystère, je vous l'assure.

Le concert de murmures des gens perplexes emplit la salle, mais la voix d'Eunice Blanchard parvint à couvrir ce bruit.

— Evidemment, vous êtes de mèche avec elle. Non content d'avoir les mêmes logeuses qu'elle, vous partagez sans doute son lit!

Cette odieuse remarque transforma les murmures de l'assistance en protestations indignées. Nicole se mordait les lèvres pour ne pas exploser, et elle adressa un signe de tête à Eric. Eunice Blanchard n'avait pas hésité à s'attaquer aussi à lui, et elle en était navrée.

Lang dut intervenir une nouvelle fois pour rétablir l'ordre. Il lança un avertissement :

— Eunice, je vous prierai de ne pas laisser vos sentiments personnels vous aveugler, ou vous risquez de passer au tribunal pour diffamation.

Furieuse d'avoir essuyé une remontrance en public, elle hurla presque :

— Alors ayez la bonté de mettre fin à cette comédie en appelant les gens qui sont de mon avis à se manifester, comme je vous l'ai déjà demandé ! Cette personne n'a de toute évidence rien à dire pour sa défense.

Si Nicole ne parvenait pas à s'innocenter, toute sa carrière serait ruinée. L'affaire de Nullegai la suivrait partout. Ces considérations l'incitèrent à risquer le tout pour le tout.

— Monsieur le Président ! Puis-je poser une question à Mme Blanchard ? fit-elle d'une manière pressante.

Lang adressa un regard interrogateur à Eunice. Elle inclina la tête en feignant le plus grand ennui.

— Demandez-moi ce que vous voulez, jeta-t-elle sur un ton dédaigneux. Mais dépêchez-vous, je n'ai pas l'intention de passer la nuit ici !

— Je serai brève, assura Nicole en contenant difficilement la colère qui la gagnait.

Allait-elle permettre à cette femme malveillante de compromettre sa carrière ? Non ! S'appuyant sur la promesse d'un enfant, elle joua sa dernière carte :

— Voici ma question. Pourquoi avez-vous mis à exécution la menace que vous m'avez faite il y a quelques jours, puisque Gervais vous a expliqué, comme à moi cet après-midi, pourquoi il n'avait pas fait de progrès ?

— Pouvez-vous prouver ce que vous avancez ? s'enquit Lang par-dessus les voix qui s'élevaient de nouveau.

— Non, avoua Nicole. Mais Gervais m'a dit...

— Elle ne peut rien prouver, évidemment! railla Eunice. Et il n'y a rien à prouver d'ailleurs car tout est de la pure invention, je vous le dis. Elle essaye de masquer son incompétence. Pourquoi aurai-je payé des leçons à mon fils s'il n'en avait pas voulu, je vous le demande?

Eunice venait de prononcer les paroles exactes que Nicole attendait. Elle sauta sur l'occasion à pieds joints.

— Moi, je peux vous le dire, madame Blanchard, rétorqua-t-elle en posant son regard sur Lang d'une manière éloquente. Mais j'avais pensé que vous ne vouliez pas divulguer cette raison.

— Je ne vois pas de quoi vous...

— M'accuseriez-vous encore d'inventer, madame Blanchard?

L'interruption émanait cette fois de Nicole, et elle fixait sur son adversaire un regard qui ne fléchissait pas.

Une soudaine rougeur envahit les joues d'Eunice Blanchard, et une lueur de rancune apparut dans ses yeux. Elle aurait de toute évidence aimé accuser encore Nicole de mentir, mais elle n'osait pas. Elle se laissa plutôt aller à un mouvement de fureur. Secouant sa chaise, elle s'écria:

— Espèce de petite...!

Elle s'arrêta subitement, consciente d'être le point de mire de la salle, Et les regards braqués sur elle manquaient singulièrement de sympathie. Elle fixa encore un instant Nicole avec des yeux étincelants de haine et, quittant tout d'un coup sa place, elle sortit en trombe du hall.

Son départ plongea l'assistance dans un silence stupéfait. Bob Maher se ressaisit le premier:

— Monsieur le Président, puisque Eunice a bien voulu... *retirer* sa plainte, je suggère que le club adresse des excuses à Miss Lockwood qui a fait l'objet d'accusations sans fondement.

Sa proposition souleva l'enthousiasme, et Lang, au nom de toutes les personnes présentes, lui adressa des excuses. Ses paroles furent suivies d'applaudissements chaleureux, et Nicole s'en trouva réconfortée. Les larmes lui vinrent aux yeux, et elle s'efforça de les contenir. Elle avait gagné la partie, ce n'était pas le moment de pleurer.

Le reste de la séance fut beaucoup moins houleux. Toutes les affaires furent réglées d'une manière rapide et efficace et, moins d'une heure plus tard, tout était terminé. Nicole attendait que le passage fût libéré pour sortir à son tour de la rangée. Apercevant Lang qui se dirigeait vers elle, elle joua du coude et rejoignit précipitamment Eric.

En tant que président, il avait été obligé de s'incliner devant la décision de la majorité, mais en privé, il n'était sûrement pas satisfait de la victoire que Nicole avait remportée sur Eunice Blanchard. Or la jeune fille ne se sentait pas capable d'affronter son mécontentement une nouvelle fois.

8

— Oh, papa, c'était terrible ! Quelle humiliation pour moi !

Sur la route de Yallambee, le samedi matin, Nicole racontait à son père les événements de la veille.

— Cette femme est la méchanceté personnifiée. Je ne comprends toujours pas pourquoi elle s'est acharnée sur moi. Je ne lui ai rien fait que je sache !

— Tu ne devrais plus penser à cette affaire, affirma Bryce.

Il donna une petite tape affectueuse sur le bras de sa fille.

— Les accusations n'ont pas été retenues, c'est l'essentiel.

— Mais le mal est fait, déclara Nicole avec une moue désolée. Maintenant, tous les gens vont me surveiller pour s'assurer de la qualité de mon travail, j'en suis sûre.

— Tu as trop d'imagination !

Bryce émit un petit rire.

— Tu as reçu des excuses publiques. Que te faut-il de plus ? Personne ne partage l'opinion de Mme Blanchard.

La jeune fille esquissa un pauvre sourire.

— Tu as raison. J'aurais quand même préféré éviter ce scandale.

— Cesse donc de t'inquiéter ! Tu as tout le week-end devant toi et lundi, ce sera de l'histoire ancienne, tu verras !

Pour les gens de Nullegai peut-être, songea tristement Nicole, mais Eunice et Lang n'étaient pas prêts d'oublier. Non, pour eux, la question n'était pas encore réglée. Se tournant vers son père, Nicole lui posa la question qu'elle répétait samedi après samedi :

— Est-ce que Lang est chez lui ce week-end ?

Cette fois la réponse différa de celle des autres semaines :

— Non, il a pris l'avion avec Clive Waterhouse et Bob Maher pour assister à une réunion d'éleveurs à Tamworth. Ils ne rentreront que lundi.

Avec un soupir de soulagement, Nicole se laissa aller contre le dossier de son siège. Grâce au ciel, ce week-end constituerait vraiment une phase de repos et d'insouciance. Elle s'était tellement affolée à l'idée de devoir affronter Lang après les événements de la veille. Il lui fallait du temps, beaucoup de temps, pour se préparer aux attaques qu'elle ne doutait pas de subir lors de leur prochaine rencontre. Nicole avait tourné la future femme de Lang en ridicule. Il n'était certainement pas disposé à lui pardonner cet affront. Il le ressentait probablement comme s'il l'avait reçu lui-même.

Nicole et son père avaient pris l'habitude de déjeuner très tôt le samedi et de passer le reste de la journée à cheval dans la propriété. Au fil des week-ends, la jeune fille avait fini par la connaître tout entière. Les collines restaient son but favori de promenade.

La nature y était encore miraculeusement préservée, et les animaux sauvages y vivaient libres comme aux premiers jours du monde. La flore était magnifique, chaque nouveau pas y était un enchantement. Nicole ne se lassait pas de surprendre l'échidné couvert de piquants qui enfonçait son museau terminé par un bec dans la terre pour chercher de la nourriture, ou l'oiseau-lyre au chant admirable. Toutes les fois où ils se rendaient dans ces collines, son père lui révélait une nouvelle merveille.

D'ordinaire, le soir, ils lisaient, faisaient des jeux de société ou regardaient la télévision, selon leur humeur. Pour Nicole, ces week-ends représentaient un changement radical de son mode de vie. Elle l'appréciait d'ailleurs. Elle commençait à comprendre le goût de son père pour cette existence paisible dans un certain isolement.

Le dimanche fut d'une chaleur torride. D'un bout à l'autre de l'horizon, pas un nuage, et le soleil aveuglant avait déjà chassé tout le bleu du ciel lorsque Nicole et son père terminèrent leur petit déjeuner.

— Que faisons-nous aujourd'hui ? s'enquit-elle en plissant les yeux pour regarder le paysage inondé de lumière par la fenêtre.

— Fais ce que tu veux, ma chérie. Quant à moi, je vais être obligé de passer la journée à surveiller la propriété. Avec cette sécheresse, le moindre feu risque de se propager très vite, expliqua Bryce avec une pointe d'inquiétude.

— Puis-je venir avec toi ?

— Non, non. Je pars avec plusieurs employés et crois-moi, vu la chaleur, ce n'est pas un plaisir de rester dehors. Je te conseille d'aller te rafraîchir dans la piscine de Lang. Si nous découvrons un incendie, Jessie sera la première avertie par radio.

— Je préférerais t'accompagner. La chaleur ne m'incommode pas et une paire d'yeux supplémentaires ne sera pas de trop pour repérer les feux, affirma-t-elle sur un ton persuasif.

— Nous partons en moto, pas à cheval.

— Et alors ? lança-t-elle, ne saisissant pas la différence.

— Eh bien, il faudrait que tu montes derrière moi.

Comme elle approuvait d'un signe de la tête, il poursuivit :

— Nous serons donc ensemble au même endroit, et tes yeux verront exactement la même chose que les miens.

Nicole dut reconnaître qu'elle n'y avait pas songé.

— Je peux prendre un cheval ? suggéra-t-elle.

— Il n'en est pas question, fit Bryce avec un sourire qui masqua à peine sa gravité. Tu n'as aucune idée de ce que représente un incendie dans ces conditions. Ce n'est pas une plaisanterie, je t'assure. Tu ne connais pas assez bien le domaine pour que je puisse te laisser chevaucher seule. Par ailleurs, même le plus rapide des chevaux n'est pas toujours capable d'aller plus vite que l'incendie. Il suffit que le vent souffle sur le foyer, et les flammes se répandent à une allure inimaginable. Tu n'en croirais pas tes yeux.

Le visage de Nicole s'allongea.

— Si j'ai bien compris, je dois rester à la maison.

— Je suis navré, ma chérie, mais c'est vraiment ce qu'il te reste à faire de mieux par une journée pareille. Va donc te baigner, comme je te l'ai proposé. Tu pourras tenir compagnie à Jessie. Tout le monde étant parti, je suis sûr qu'elle ne demande pas mieux.

— Bien, bien, je ne me mettrai pas en travers de ton chemin ! affirma-t-elle avec une plaisante ironie.

Son père rit gentiment. Lors des week-ends précédents, la jeune fille aurait refusé catégoriquement de se rendre chez Lang. Mais aujourd'hui, sachant qu'il était absent, elle accepta. Après avoir revêtu un short et un dos nu sur son bikini à fleurs, elle quitta la maison peu après son père.

Elle passa pour commencer un moment avec Jessie qui lui servit un grand verre de limonade délicieusement fraîche. Elles bavardèrent amicalement, et cette halte permit à Nicole de se reposer. Le seul fait d'être venue à pied par cette chaleur l'avait fatiguée. Son père avait raison, elle l'admettait enfin. Par une journée pareille, on ne sortait que si l'on y était obligé.

Lorsque la jeune fille émit l'idée de se baigner, Jessie l'entoura de conseils comme une mère.

— Ne restez pas trop longtemps dans l'eau. Ce soleil vous grillerait la peau.

— Ne vous inquiétez pas, je serai prudente, promit-elle. Je n'ai pas l'intention d'échanger mon beau bronzage contre des cloques !

— Après votre bain, vous pourrez vous installer sur une chaise longue à l'ombre, ajouta Jessie en indiquant de la main la tonnelle.

Nicole acquiesça et, après avoir abandonné ses vêtements dans la salle de bains du rez-de-chaussée, elle traversa la terrasse, se dirigeant vers le rectangle bleu et scintillant de la piscine. Elle avait décidé de ne pas mettre de bonnet, et elle enferma ses cheveux dans une barrette. Cette fois, elle ne prit pas la peine de tester la température de l'eau du bout du pied avant de s'y jeter. Elle plongea immédiatement.

En comparaison de l'air étouffant, l'eau était d'une fraîcheur merveilleuse. Nicole parcourut sur le dos toute la longueur de la piscine. C'était un vrai délice. Pendant un moment, elle fit la planche, se laissant flotter dans une détente et un calme parfaits. Lorsque les rayons de soleil commencèrent à lui brûler le visage, elle se retourna sur le ventre et se remit à nager d'une manière décontractée.

La majeure partie de la matinée se déroula ainsi.

La jeune fille entrecoupa ses bains de longs moments où elle s'abandonnait presque au sommeil sur une chaise longue bien à l'ombre. Jessie vint la trouver une fois pour lui annoncer que Bryce avait pris contact avec elle par radio. Tout se passait bien, avait-il assuré. Lui et ses hommes n'avaient encore rien repéré d'inquiétant. Nicole l'avait remerciée de la tenir au courant, puis elle lui avait proposé de prendre un bain avec elle. La femme avait éclaté de rire en s'exclamant :

— Moi, je ne quitte jamais la terre ferme !

Quelques instants plus tard, un bourdonnement d'abeille tira Nicole de sa somnolence. Levant ses paupières lourdes, elle vit l'insecte tourner autour de son nombril et, par prudence, elle décida de repartir sans attendre vers la piscine.

Elle n'y resta pas longtemps et en revenait à pas lents, l'esprit un peu engourdi par la chaleur, quand elle heurta un corps musclé. Deux mains se posèrent sur sa taille. Puis deux bras l'emprisonnèrent fermement, étouffant un cri de surprise dans sa gorge.

— Lang ! souffla-t-elle finalement. Que...

En se posant sur les siennes, les lèvres de Lang arrêtèrent ses paroles, mais non pas les battements de son cœur. L'émotion était trop forte. Nicole dut s'accrocher à lui pour ne pas tomber. Dès qu'il releva la tête, elle s'écria pourtant :

— Qu'est-ce qui vous a pris ?

Un coin de sa bouche s'étira, exprimant une tranquille ironie.

— N'ai-je pas le droit d'exiger un paiement pour usage de ma piscine ?

— Pas ce genre de paiement, rétorqua-t-elle. Je préfère vous donner de l'argent.

Elle essayait en vain de se dégager.

— Et que faites-vous ici ? Je vous croyais absent jusqu'à lundi.

— Eh bien, je suis revenu plus tôt, et j'ai découvert que vous ne répugnez pas à vous baigner quand je ne suis pas là. En temps normal, vous ne vous approchez pas de ma maison, n'est-ce pas, Nicky ?

Il se moquait toujours d'elle, sur un ton léger.

« J'avais intérêt à me tenir à l'écart, répondit Nicole intérieurement. Quand on voit comme je suis bouleversée de me retrouver avec vous ! »

148

La raison qu'elle donna à Lang fut toutefois complètement différente.

— Je pense que vous aussi, vous aimez mieux ne pas me voir, déclara-t-elle sèchement. Alors si vous voulez bien me lâcher, je vais retourner de ce pas chez mon père.

— Oh non, vous ne partirez pas !

Les bras de Lang se resserrèrent davantage autour d'elle, condamnant d'avance toutes ses tentatives pour s'échapper.

— Je ne vous ai pas encore dit ce que j'ai à vous dire.

— Dans ce cas, finissons-en au plus vite, je vous prie !

— Entendu.

Des deux mains, elle essaya de repousser la poitrine nue de Lang, mais il ne s'écarta pas d'un centimètre d'elle.

— Je vous préviens, lança-t-elle dans l'intention de le précéder dans ses attaques, si vous voulez me reprocher ce qui s'est passé vendredi soir, ne prenez pas cette peine. Je vous fais spontanément des excuses pour avoir eu raison contre la femme de votre vie. Elle ne m'a vraiment pas laissé le choix. Par caprice, elle était prête à ruiner ma carrière. J'ai dû me défendre.

— J'en suis bien conscient. Apprenez qu'Eunice Blanchard n'est pas la femme de ma vie, affirma-t-il sur un ton dur. On nous a peut-être vus ensemble à plusieurs reprises depuis la mort de son mari. Mais vous ignorez probablement qu'elle m'a seulement demandé des conseils pour la gestion de sa propriété. Il n'y a absolument rien d'autre entre nous.

— Menteur !

Devant cette nouvelle preuve de la mauvaise foi masculine, Nicole n'avait pu s'empêcher de crier.

— Je vous ai vus tous les deux un après-midi devant sa porte en revenant de la piscine ! J'ai vu comment elle vous accueillait! Vos relations ne m'ont pas paru strictement limitées aux affaires.

— Vous auriez peut-être dû nous espionner un peu plus longtemps, affirma Lang d'une voix mordante. Vous auriez constaté que je me suis fermement arraché à son baiser importun.

— C'est ce que vous dites! riposta rageusement Nicole. Mais j'ai entendu les bruits qui courent!

— Je me moque de ce que vous avez entendu!

Les doigts de Lang se refermèrent encore plus sur la taille de la jeune fille.

— Eunice n'est rien, et ne sera jamais rien pour moi. Je le lui ai clairement fait comprendre il y a quelques semaines car elle nourrissait des illusions à ce sujet.

Nicole ne se décidait toujours pas à le croire.

— Et vendredi soir? insista-t-elle. J'ai remarqué comment vous l'appeliez. *Eunice* par-ci, *Eunice* par-là! Tandis que moi, j'étais la négligeable *Miss* Lockwood, l'étrangère à Nullegai, vous ne pouviez pas mieux le faire sentir!

A cette accusation, Lang leva les yeux au ciel.

— Petite sotte, pourquoi accordez-vous tant d'importance à ces détails? Je l'ai appelée Eunice, évidemment, puisque je la connais depuis toujours. Elle n'a jamais été Mme Blanchard pour moi! assura-t-il de la manière la plus vigoureuse.

Il glissa une main sous la nuque de Nicole et l'obligea à tourner son visage vers le sien. D'une voix plus douce, il déclara :

— Vous n'étiez pas l'étrangère, Nicole, il faut me croire.

Derrière les longs cils recourbés, le regard de la jeune fille exprimait encore le scepticisme.

— Si je n'avais pas réussi à prouver mes affirmations, elle aurait trouvé quelqu'un pour l'appuyer, et j'aurais perdu mon poste sans que vous leviez le petit doigt.

150

Elle l'accablait de reproches, oubliant qu'elle s'était toujours montrée très désagréable envers lui. Il aurait eu des raisons après tout de souhaiter son renvoi.

— Je n'en aurais pas eu besoin, fit-il avec un sourire.

— Dites plutôt que vous n'auriez pas voulu me défendre ! corrigea-t-elle avec agressivité.

— Attention ! lança Lang en baissant vers elle un regard à la fois rieur et menaçant. Vous m'avez traité impunément de menteur une fois. A votre place, je ne tenterai pas le sort une seconde fois !

Ce corps puissant pressé contre le sien privait peu à peu Nicole de ses forces. Elle rassembla ses dernières parcelles d'énergie pour s'écrier :

— Que pourriez-vous bien me faire ? Allons, permettez-moi de me soustraire à votre brillante compagnie !

Elle le fixa d'un air insolent.

L'espace d'une seconde, elle crut qu'il allait lui tordre le cou. Puis la lueur de colère finit par se dissiper dans ses yeux dorés, et il relâcha légèrement son étreinte.

— En effet, il vaudrait peut-être mieux que je vous laisse partir... pendant que j'en suis encore capable, murmura-t-il.

Nicole était libre à présent. Elle s'aperçut soudain qu'elle n'avait pas autant envie de s'enfuir qu'elle se l'était imaginé.

— Pendant que vous en êtes encore capable ? répéta-t-elle, mi-incrédule, mi-intriguée.

Des deux, ce fut Lang qui se détourna le premier. Il s'était déjà éloigné de quelques pas quand il opéra un brusque demi-tour pour la regarder bien en face.

— Exactement, petite provocatrice, petite... !

Il se retint à temps de prononcer un mot sans doute assez crû et revint vers Nicole, la mine furieuse. Pleine d'appréhension, elle recula aussitôt.

— Vous avez plus que toute autre femme le don de

me rendre fou, mais vous allez voir ! Je ne vous permettrai pas de m'empoisonner la vie en vous jouant de moi selon les caprices de votre humeur !

Lui empoisonner la vie ? De stupéfaction, Nicole resta clouée sur place. Avait-elle bien entendu ? Craignant d'avoir mal interprété ses paroles, elle balbutia timidement :

— Est-ce que vous... vous voulez dire... ?

— Que je vous désire ? Oui ! Que je vous aime ? Encore oui !

Son regard soutint le sien avec audace, mais elle crut discerner de l'émotion dans sa voix.

— C'est ce que vous vouliez, je suppose ! continua-t-il. Vous aviez décidé de faire payer à un autre homme les souffrances que vous avait infligées Julian. Et j'étais tout désigné ! Ne me suis-je pas substitué à lui dès la première nuit ?

— Non... il n'y a rien de plus faux, fit-elle, le visage illuminé par un sourire radieux.

Son cœur lui semblait sur le point d'exploser tant les propos de Lang l'emplissaient de bonheur.

— Vous n'êtes pas homme à servir de substitut à un autre, expliqua-t-elle. Chaque fois que j'essayais de penser à Julian, c'était votre image qui se présentait à mon esprit.

Les lèvres de Lang esquissèrent une moue cynique :

— Vous avez dû en concevoir un grand dépit !

— Oui, accorda-t-elle en lui décochant un regard malicieux. Mais il y a bien pis. Je me trouve en ce moment avec l'homme que j'aime à en perdre la raison — un homme qui prétend m'aimer aussi — et il ne songe qu'à m'accabler d'accusations sans fondement.

Elle franchit l'espace qui les séparait et noua ses bras autour du cou de Lang. Le contemplant avec une adoration non dissimulée, elle lui demanda :

— Au lieu de m'accuser, ne pourriez-vous pas plutôt m'embrasser ?

152

Il l'attira presque violemment contre lui. Juste avant de poser ses lèvres sur les siennes, il chuchota :

— C'est un arrangement possible.

Sa voix vibrante résonna longtemps aux oreilles de Nicole, aussi longtemps que dura leur baiser. Elle fondait au contact du corps puissant pressé contre le sien. Les mains de Lang la comblaient de caresses et, se serrant encore plus étroitement contre lui, elle ne résista plus au désir de promener ses doigts sur le dos musclé à la chair ferme et chaude.

Doucement, les lèvres de Lang descendirent, irrésistibles, effleurant aussi légèrement que des plumes les joues veloutées, la gorge offerte et les tendres épaules. Cédant à la violence de ses sensations, Nicole répondit sans retenue, traçant une ligne de petits baisers fiévreux le long de la mâchoire carrée, puis du cou bronzé. Exhalant un soupir frémissant, Lang emprisonna le visage de la jeune fille entre ses deux mains.

— Quand ? interrogea-t-il sur un ton lourd d'émotion. Quand nous marions-nous ? Je ne peux pas supporter de vous tenir dans mes bras en sachant que vous n'êtes pas à moi. Je veux vous y garder pour toujours ! Marions-nous le plus vite possible, ma chérie !

Nicole tourna légèrement la tête afin de déposer un baiser au creux de sa main.

— Quand vous voudrez, mon amour, accorda-t-elle, radieuse.

Lang lui adressa un sourire nonchalant et sensuel qui déchaîna les battements de son cœur. Passant un bras autour de ses épaules, il l'entraîna.

— Venez, ne restons pas ici. Je n'aurais jamais cru que je ferais ma demande en mariage au bord d'une piscine.

— C'est un endroit qui me convient tout à fait ! plaisanta-t-elle.

— Il y a bien d'autres choses encore qui vous

conviendraient, ma chérie ! lança Lang sur un ton gentiment moqueur. Je pense par exemple à une bonne correction pour vous punir d'avoir pensé que je vous traitais comme une étrangère à Nullegai vendredi dernier.

Nicole leva vers lui un visage empreint de reproche.

— J'aurais pu perdre mon emploi, et vous n'auriez pas réagi.

— Qui vous l'aurait fait perdre ?

— Eh bien, Eunice... et les gens qui se seraient rangés à son opinion, évidemment !

— Et qui aurait suivi Eunice, selon vous ?

— Comment le saurais-je ? D'après le regard dur que vous aviez posé sur moi pendant toute la séance, vous auriez sans doute été le premier.

— Comme vous vous méprenez sur mon regard ! Je m'en voulais de ne pas pouvoir vous chasser de mon cœur et de mon esprit.

— Et vous aviez trouvé la solution ! La plus radicale était de me chasser purement et simplement de la ville.

— Vous êtes vraiment obstinée !

Lang baissa sur elle des yeux où brillait l'amusement.

— Vous n'avez donc pas compris que personne n'aurait soutenu Eunice ? Pourquoi en doutez-vous encore ? Si vous voulez le savoir, tout le monde m'a chanté vos louanges. Les gens de Nullegai sont enchantés de votre travail. Croyez-moi, Eunice n'avait aucune chance contre vous !

A ces paroles, la jeune fille rougit de plaisir.

— Si seulement je l'avais su ! soupira-t-elle. Je n'aurais pas eu si peur de ne jamais vous revoir. Savez-vous pourquoi je vous ai évité durant toutes ces semaines ? Je souffrais trop, quand j'étais près de vous, à la pensée que vous alliez épouser Eunice.

— Alors vous comprenez ce que j'ai ressenti en vous voyant toujours en compagnie d'Eric Nicholls, répliqua aussitôt Lang.

154

— Comment ? Vous étiez jaloux d'Eric !

Nicole n'en croyait pas ses oreilles.

— J'espère ne plus jamais éprouver les sentiments qui m'envahissaient lorsque je vous voyais ensemble ! lança-t-il presque violemment.

— Mais vous n'aviez pas de raison d'être jaloux, protesta-t-elle. Ne vous avais-je pas dit que je n'encourageais guère Eric à m'accompagner partout ? Nous nous intéressons tous les deux à la natation, c'est tout.

— Avec le temps, les gens changent, affirma Lang. Vous avez bien été amoureuse de Julian.

— Je le croyais. C'était une illusion, je m'en rends compte à présent. Ce que je ressentais pour lui n'est rien en comparaison de ce que je ressens pour vous.

C'était la meilleure des réponses, et Lang en remercia Nicole de la plus douce des façons. Son baiser exprima l'intensité de la passion qui le portait vers elle. Lorsque leurs lèvres se séparèrent, Nicole pencha la tête sur le côté d'un air malicieux.

— Quand vous êtes-vous aperçu que vous étiez amoureux de moi ? questionna-t-elle.

— Dès la première nuit, affirma-t-il d'une manière très directe.

La bouche de Nicole s'arrondit sous l'effet de la surprise.

— Mais ce n'est pas possible ! Je... nous...

Elle s'empourpra à cette évocation.

— Vous ne m'aviez même pas vue ! dit-elle dans un souffle.

— Non, mais je vous avais sentie contre moi, déclara-t-il en souriant à ses souvenirs. Vous pleuriez si fort dans votre sommeil que j'ai trouvé tout à fait naturel de vous prendre dans mes bras pour vous consoler. Puis, toujours dans le même but, je vous ai embrassée. Vous avez répondu avec une telle fougue à mon baiser que je me suis pris à regretter de ne pas être celui que vous aimiez.

Pour le taquiner, elle lui rappela :

— Vous avez prétendu que vous ne m'aviez prise dans vos bras qu'afin de pouvoir dormir !

— Oui, vous m'empêchiez de dormir, c'est vrai ! soutint-il d'un air espiègle. J'étais partagé entre le désir de vous garder contre moi pour vous protéger, et celui d'aller dire deux mots à l'homme qui vous avait fait tant de mal.

— Je regrette d'avoir aussi ignoré cela, affirma-t-elle.. Si je l'avais su, je ne me serais peut-être pas montrée aussi agressive envers vous.

— Cela vous aurait évité bien des tracas, ma chérie.

Il passa la main le long de sa taille et de ses hanches.

— Vous avez maigri, fit-il sur un ton de reproche.

— Il fallait que je m'étourdisse de travail pour ne pas penser à vous, expliqua-t-elle. Mais ne vous inquiétez pas, je vais très vite reprendre du poids. Peut-être...

Elle lui adressa un coup d'œil narquois.

— Peut-être deviendrai-je aussi grosse et placide que vos vaches !

Lang feignit l'indignation.

— Mes vaches ne sont pas grosses, elles sont belles !

— Oh, mon Dieu, j'ai encore beaucoup à apprendre, s'exclama Nicole sur un ton faussement humble. Je croyais vous faire un compliment.

— J'en attends d'autres, fit Lang en fixant sur Nicole son regard doré d'un éclat presque insoutenable.

— Quel genre de compliments ?

Il s'empara en guise de réponse du corps de Nicole, et ses lèvres reprirent possession des siennes. Le baiser que la jeune fille lui rendit prouva mieux qu'aucune parole combien elle l'aimait et combien elle avait besoin de lui.

Le monde appartient aux lectrices
d'Harlequin Romantique !

Vous êtes éprise d'aventure et vous avez envie d'échapper à la grisaille quotidienne.

Vous aimez les voyages, le dépaysement, la fantaisie. Vous avez une nature ardente et passionnée...vous voulez vivre des émotions intenses.

Vous rêvez d'amours splendides, de clairs de lune, de baisers volés dans l'ombre des soirs.

Alors vous n'avez pas assez d'une vie pour réaliser tous vos désirs.

Mais vous pouvez entrer dans le monde magique de la passion, partager la vie fascinante de nos héroïnes, au cœur de contrées lointaines...capiteuses.

Avec HARLEQUIN ROMANTIQUE, vos désirs les plus fous deviennent réalité.

Grâce à notre offre d'abonnement, vous pouvez recevoir chez vous, tous les mois, dès leur parution, la série de six titres HARLEQUIN ROMANTIQUE.

Éternelle jeunesse du roman d'amour!

On a l'âge de son esprit, dit-on. Avez-vous jamais songé à vérifier ce dicton?

Des romancières célèbres telles que Violet Winspear, Anne Weale, Essie Summers, Elizabeth Hunter… s'inspirant du vrai roman d'amour traditionnel, mettent en scène pour votre plus grand plaisir héros et héroïnes attachants, dans des cadres romantiques qui vous transporteront dans un monde nouveau, hors de la grisaille du quotidien. En partageant leurs aventures passionnantes, vous oublierez soucis et chagrins, vous revivrez les émotions, les joies…la splendeur…de l'amour vrai.

Six romans par mois… chez vous… sans frais supplémentaires… et les quatre premiers sont gratuits!

Vous pouvez maintenant recevoir, sans sortir de chez vous, les six nouveaux titres HARLEQUIN ROMANTIQUE que nous publions chaque mois.

Et n'oubliez pas que les 6 vous sont proposés au bas prix de $1.95 chacun, sans aucun frais de port ou de manutention.

Et cela ne vous engage à rien: vous pouvez annuler votre abonnement n'importe quand, pour quelque raison que ce soit.

Pour vous assurer de ne pas manquer un seul de vos romans préférés, remplissez et postez dès aujourd'hui le coupon-réponse sur la page suivante.

Rien n'est plus pratique qu'un abonnement *Harlequin Romantique*

1. Vous recevrez les 4 premiers livres en CADEAU puis 6 nouveaux titres chaque mois, dès leur parution. Vous ne risquez donc pas de manquer un seul volume Harlequin Romantique.

2. Vous ne payez que $1.95 par volume, sans les moindres frais de port ou de manutention.

3. Chaque volume est livré par la poste, sans que vous ayez à vous déranger.

4. Vous pouvez annuler votre abonnement à tout moment, pour quelque raison que ce soit...nous ne vous poserons pas de questions, et nous respecterons votre décision.

5. Chaque livre Harlequin Romantique est écrit par une romancière célèbre: vous ne risquez donc pas d'être déçue. .

6. Il vous suffit de remplir le coupon-réponse ci-dessous. Vous recevrez une facture par la suite.

✂

Bon d'abonnement

Envoyez à:

HARLEQUIN ROMANTIQUE, Stratford (Ontario) N5A 6W2

OUI, veuillez m'abonner dès maintenant à HARLEQUIN ROMANTIQUE et faites-moi parvenir les 4 premiers livres gratuits. Par la suite, chaque volume me sera proposé au bas prix de $1.95, (soit un total de $11.70 par mois), sans frais de port ou de manutention.

Il est entendu que je pourrai annuler mon abonnement à tout moment, pour quelque raison que ce soit et garder les 4 livres-cadeaux sans aucune obligation. Nos prix peuvent être modifiés sans préavis.

NOM   (EN MAJUSCULES S.V.P.)

ADRESSE   APP.

VILLE   COMTÉ   PROVINCE   CODE POSTAL

Offre valable jusqu'au 31 octobre 1982   DB107